ADIEU CALCUTTA

BUNNY SURAIYA

ADIEU CALCUTTA

roman

*Traduit de l'anglais (Inde)
par Dominique Vitalyos*

ALBIN MICHEL

*Cet ouvrage est publié
sous la direction de Vaiju Naravane*

Pour Jug, grâce à qui j'ai commencé
et qui m'a encouragée à continuer

1

Ayah

SON NOM était Sohag Khatun, mais tout le monde l'appelait Ayah. Au service de la famille Ryan depuis dix-neuf ans, elle avait d'abord été effectivement l'*ayah*, la nounou des enfants, ses *baba-log*, avant de devenir la cuisinière unanimement appréciée de la maison et son intendante. C'était contre la généreuse poitrine d'Ayah que Shirley *baba* avait couru se réfugier chaque année, quand elle rapportait de l'école des bulletins de notes qu'elle redoutait de montrer à son père, et lorsque Paddy *baba*, effrayée, confuse, était devenue femme, c'était Ayah qui l'avait initiée aux aspects techniques de la menstruation, qui avait séché ses larmes et lui avait montré comment nouer les extrémités d'une encombrante serviette périodique à un cordon de pyjama noué à la taille. Le bras droit de la Mem Saab, la maîtresse, dans la gestion de la maison, c'était Ayah, et Ayah encore dont le Saab faisait un éloge appuyé quand ses invités le complimentaient sur sa bonne table.

– Ayah, *fichtre*, c'est un joyau. Un sacré trésor, pas moins. Je n'aurais jamais voulu de ces enfoirés d'hindous qui font du genre et des politesses dans ma maison, je vous le dis tout net. Je ne sais pas comment on fera sans elle, une fois rentrés chez nous.

« Rentrer chez nous.» Le sujet revenait fréquemment dans la conversation des Ryan, abordé le plus souvent par le chef de famille à qui il incombait naturellement de tout organiser. « Rentrer chez soi » dans un pays qu'on n'avait encore jamais vu, c'était une aspiration d'Anglo-Indien qui rendait les autres perplexes, surtout les Anglais fraîchement débarqués en Inde. Ils n'avaient pas encore compris que les Anglo-Indiens se tenaient depuis toujours pour plus anglais qu'indiens, et que les Anglais de la grande époque du Raj les avaient eux aussi considérés de cette façon. Les Anglais d'alors édictaient des lois pour maintenir la population indienne à un niveau inférieur et les Anglo-Indiens étaient chargés de les faire appliquer, ce dont ils s'acquittaient avec beaucoup de zèle, créant un climat d'inimitié entre eux et les Indiens qu'ils traitaient avec mépris d'« autochtones ».

Cependant l'Inde, en secouant le joug du Raj, était devenue étrangère, voire hostile aux Anglo-Indiens et l'Angleterre était devenue la Terre Promise qu'ils voulaient rejoindre. Robert Ryan y aspirait de tout son être. Il faisait fréquemment remarquer à ses amis :

– Il n'y a plus aucun espoir pour nous dans ce pays, c'est clair. Maintenant que ces maudits autochtones ont pris la place des maîtres, pas question pour eux de nous maintenir aux postes les plus importants. On peut toujours courir ! Non, maintenant que les Anglais sont rentrés chez eux, il ne nous reste plus qu'à en faire autant.

Le problème, douze ans après l'Indépendance, c'était comment donner corps à ce très attrayant projet. Rares étaient les Anglo-Indiens qui y étaient parvenus. Les Cowpers, Errol et Joan, étaient partis l'année précédente après avoir donné une série de réceptions pour fêter leur départ. Puis le tour de John et Betty Ford était venu. Enfin, Maud, la sœur de Robert, et son mari Julius vivaient en Angleterre depuis déjà quatre ans. Robert Ryan n'avait de plus cher désir que de les y rejoindre, de trouver le moyen de quitter le pays où il était né et où il se sentait de plus en plus étranger, de secouer la poussière de l'Inde de ses pieds pour toujours. Chaque année, à Noël, il affirmait :

– L'année prochaine, à cette même date, nous serons chez nous.

À ces mots, Grace et leurs deux filles, Shirley et Paddy, hochaient gravement la tête et levaient leur verre de « vin de pomme » confectionné par Ayah pour porter un toast au foyer qui les attendait.

2

Robert

IL FAISAIT encore sombre, le soleil ne s'était pas encore frayé un chemin dans le ciel de novembre pour éclairer Calcutta lorsque Robert Ryan s'éveilla. Il ouvrit les yeux, étouffa un grognement à l'idée de quitter la chaleur de la couette pour aller une fois de plus croiser le fer à Barton Ferne & Co, l'organisme de gestion où il travaillait. Non qu'il y fût un employé mensuellement révocable. Ainsi qu'il s'en félicitait auprès de ses amis au D.I. (Dalhousie Institute de son nom officiel, un club réservé exclusivement aux Anglo-Indiens), Ryan était assistant contractuel, un statut qui ouvrait droit à un certain nombre d'avantages, augmentation de salaire annuelle et sécurité de l'emploi en tête. Après toutes ces années, vingt et une exactement, il gagnait correctement sa vie. Il n'avait pas à se plaindre, de ce côté-là.

Non, ce qui l'ulcérait parfois plus qu'il ne pouvait le supporter, c'était l'humiliation quotidienne de se voir tenir un rôle de second plan derrière un nouveau venu, un enfoiré d'Indien, un machin-chose Mukherjî qui s'était insinué dans les bonnes grâces de Peter Wilson, le jeune patron anglais, et que l'on considérait derrière son dos comme supérieur à lui, bien qu'ils fussent tous deux assistants contractuels de même rang. Le bruit courait parmi les gratte-papiers et les garçons de bureau que ce salaud de Mukherjî partageait un lien de parenté avec le propriétaire de l'agence, mais peut-être leur rapport s'arrêtait-il en fait à leur patronyme commun, nom courant à Calcutta aux côtés des Banerjî, Chatterjî, *gunjî* et *chuddî* dont la ville était infestée. Le rapprochement de ces noms propres et communs était une plaisanterie de son cru qui déclenchait des rires approbateurs au bar du D.I., mais par ce lugubre matin de novembre, Robert Ryan n'avait pas la moindre envie de blaguer. Il ne restait plus qu'un mois avant Noël, le Nouvel An qui suivait inaugurerait la décennie des années soixante, et il n'avait toujours pas concrétisé son projet de partir au pays avec sa famille.

Sa famille. Tournant la tête sur l'oreiller, il posa les yeux sur sa femme qui dormait. Grace, après toutes ces années et mère de deux enfants adultes, était restée une beauté. Parfois, en y pensant, il s'étonnait encore de la chance qui avait été la sienne, un peu plus de vingt ans plus tôt, de remporter ce trophée. Grace aurait pu choisir n'importe quel homme pour mari, il le savait. Les prétendants à sa main ne manquaient pas. Pourtant c'était lui qu'elle avait préféré. Il regarda ses joues rosies par la chaleur du sommeil, sa chevelure châtain clair répandue sur l'oreiller, ses paupières aux longs cils, closes sur des iris d'un vert saisissant, et sa peau crémeuse, si blanche qu'elle aurait pu passer partout pour une Anglaise. Il lui en avait fait la remarque un jour, aux premiers temps de leur mariage, et la véhémence de sa réaction l'avait surpris.

– Ne me dis plus jamais ça, Robert. Je ne suis pas anglaise, et je ne veux pas l'être !

Puis, devant l'expression stupéfaite de son mari, elle avait ajouté :

– C'est que je suis fière d'être ce que je suis, anglo-indienne, comme toi.

Robert n'avait plus jamais abordé le sujet, mais il ne pouvait s'empêcher d'y penser et il se prenait souvent à imaginer l'atout que représenterait l'apparence de sa femme lorsqu'ils seraient enfin chez eux. L'apparence de Grace, mais aussi celle de Shirley, leur fille aînée, qui depuis le jour de sa naissance avait l'air aussi anglaise qu'on pouvait l'être. Bien que Grace eût prédit que son teint et la couleur de ses cheveux fonceraient à mesure qu'elle grandirait, il n'en avait rien été. En regardant Shirley, son teint crémeux et ses joues de pêche, ses fins cheveux blonds et ses yeux bleu pâle, il ne manquait jamais de s'émerveiller sur la vie qu'il avait contribué à produire. « Shirl, ma perle » était sa petite chérie. En sa présence, il se sentait humble et comme effrayé d'être l'auteur d'une telle beauté, semblable à l'artiste qui, contemplant son œuvre la plus aboutie, se demande comment il a pu se concilier le génie nécessaire à sa création.

Et puis, il y avait Paddy, sa petite Paddy. Ryan sourit à la pensée de sa fille cadette. Un bébé gibbon noir, voilà ce qu'elle était, presque une petite Indienne, avec ses grands yeux sombres et la masse de boucles noires qui encadraient son visage. À sa naissance, quand il l'avait vue pour la première fois, des cheveux noirs épais plantés dru sur le crâne, il avait rugi de rire :

– Doux Jésus ! Cette fois, Gracie, nous avons produit une gamine cent pour cent indienne !

Pourtant, quand l'infirmière lui avait tendu le nouveau-né et qu'il l'avait pris dans ses bras, la puissance de ses émotions l'avait submergé. Il avait été bouleversé par l'intensité et la soudaineté de l'amour que lui inspirait le nourrisson. Ému aux larmes, les yeux humides, il avait tourné les yeux vers Grace et lui avait déclaré avec une détermination tranquille :

– Celle-ci portera mon nom, mes deux noms, en fait.

C'est pourquoi la deuxième fille de Grace Eleanor et de Robert Patrick Ryan avait été baptisée, à l'église St Thomas de Middleton Row, « Patricia Roberta ». Tout le monde l'appelait Paddy.

Au diable tout le reste, se dit Ryan, je suis un homme chanceux. Sa famille faisait l'envie de tous les gens qu'il connaissait. S'il devait supporter les désagréments de Barton Ferne pour assurer leur sécurité et leur bonheur, il le ferait. Il allait simplement lui falloir élaborer un plan pour remettre cet enquiquineur de Mukherjî à sa juste place. Voyant Grace ouvrir les yeux, il bondit hors du lit et pressa énergiquement à plusieurs reprises la sonnette du service pour être sûr d'attirer l'attention des domestiques à la cuisine. Il était prêt pour son thé matinal.

3

Paddy

PADDY ÉTAIT ASSISE, vêtue d'un slip et d'un soutien-gorge de coton blanc, devant le grand miroir à trois faces de la coiffeuse, dans la chambre qu'elle partageait avec Shirley.

« *Serai-je jolie ? Serai-je riche...* », chantonnait-elle – faux, comme d'habitude.

Paddy était une jeune fille extrêmement jolie, mais si personne de son entourage, à l'exception de sa mère, ne s'en rendait compte, c'était que dès la naissance de son aînée, on avait déclaré que Shirley était la beauté de la famille. Paddy se ralliait d'ailleurs au point de vue général. Elle adorait sa sœur. Elle aimait brosser ses cheveux et les natter en deux longues tresses blondes le soir, tandis qu'elles bavardaient ensemble, se faisaient des confidences, partageaient leurs espoirs et leurs rêves.

À présent, elle adressait un grand sourire à son propre reflet, la chanson de Doris Day en tête. « *Serai-je jolie ?* » Trop tard pour ça, Paddy Ryan ! Riche ? Son sourire s'élargit encore. Avec un salaire de secrétaire, aucune chance, même au bout d'un million d'années. Tel était l'emploi que son père lui avait trouvé et qu'elle s'apprêtait à occuper en janvier dans les bureaux de l'hôtel des ventes d'oncle Victor à la fin des cours de l'École de secrétariat de Mrs Durnford. Oncle Victor n'était pas un membre de la famille Ryan, mais comme tous les enfants de l'Inde, Shirley et Paddy appelaient « oncle » et « tatie » les amis de leurs parents. Toutefois, elle ne s'adresserait pas à son patron par ce terme. Il lui avait expliqué qu'elle devait l'appeler « monsieur Menezies Sir » comme les autres employés. Quand ils se rencontreraient au-dehors, au club par exemple, ce serait bien sûr tout autre chose.

Paddy se rendait chaque matin du lundi au vendredi sur Wellesley Street, dans l'immeuble décrépit où se trouvaient les deux salles de classe, l'une pour les cours de sténo de Mrs Durnford, l'autre pour les travaux pratiques de dactylo supervisés par Maureen, la jeune assistante, qui aidait les élèves à s'exercer sur les vieilles Remington noires, bancales et cliquetantes. « Tous les doigts sur la rangée du milieu. Maintenant commencez par la main gauche : a, s, d, f, g ; puis la droite : virgule, l, k, j, h », répétait-elle inlassablement.

Paddy trouvait tous ces exercices très faciles. Elle avait été bonne élève à Loreto House, la meilleure école de filles de Calcutta, décrochant chaque année sans effort une place de seconde ou de troisième, contrairement à Shirley qui détestait l'école et s'était retrouvée dernière de sa classe avec une telle constance que même leur père avait renoncé à attendre d'elle de meilleurs résultats. La régularité avec laquelle Paddy rapportait des prix – premier prix d'histoire, premier prix d'écriture, premier prix de rédaction – compensait les notes désastreuses de Shirley.

Pour Shirley, c'était sans importance, pensait Paddy, puisqu'elle était belle et reconnue comme telle. Lorsqu'ils se rendaient au D.I., leur père les prenait toutes deux par les épaules et proclamait à voix forte : « Je vous présente mes filles, Beauté et Esprit. Nous, les Ryan, nous sommes les plus gâtés ! » Et il les embrassait tour à tour, riant de les voir se débattre pour lui échapper. Paddy et Shirley partageaient une certitude : la propension de leur père à les mettre dans l'embarras croissait avec la quantité de bière qu'il avait éclusée.

— Tu rêvasses, Paddikins, la taquina Shirley, qui sortait de la salle de bains, enveloppée dans une serviette.

Elle tira une boucle des cheveux de sa sœur avant de la déloger du tabouret de la coiffeuse en la poussant.

— C'est mon tour, dit-elle en s'asseyant, et tu ferais bien de t'habiller en vitesse, sœurette, si tu ne veux pas être en retard à ton cours d'a-s-d-f-g. Depuis la salle de bains, j'ai entendu notre Gussy klaxonner comme un fou.

— Tu vas voir Monsieur X ? demanda Paddy dans un murmure très distinct en enfilant sa robe. Oh, Shirl, comme c'est excitant ! Je croise les doigts pour toi tout le temps.

— Ce n'est pas ce qu'il y a de mieux à faire pendant les cours de dactylo !

Elles éclatèrent de rire à l'unisson.

Gussy, le conducteur de rickshaw, l'attendait en effet devant la maison. Elle fit un rapide au revoir à sa mère et à Ayah qui la regardaient, debout sur le seuil, monter dans le fragile habitacle et s'éloigner sur ses hautes roues dans Sharif Lane.

4

44-A, Sharif Lane

S HARIF LANE, une ruelle étroite et sinueuse, zébrée d'or-
nières et grêlée de nids-de-poule, était située du côté
sans attrait de Rippon Street. Le versant chic affichait de
vastes demeures, des « manoirs » à plusieurs étages divisés
en appartements spacieux, et s'enorgueillissait de débou-
cher sur Free School Street où se trouvait le Mocambo, la
boîte de nuit légendaire. L'Isaiah, le bar de matelots mal
famé, s'y trouvait également, hélas, sans parvenir cependant à ternir la réputation d'élégance du Mocambo.

Rippon Street et Park Street étaient toutes deux traver-
sées par Wellesley Street qui marquait la frontière entre le
versant quelconque et le versant sélect de chacune de ces
rues. Ce dernier, dans Park Street, était l'avenue de tous
les fantasmes de grandeur de Calcutta. On y trouvait les
adresses les plus recherchées de la ville. Les imposantes
Queen's Mansions (nommées ainsi, bien après l'Indépendance, pour marquer le couronnement de la jeune reine
Elisabeth II) dominaient l'élégante artère, suivies de Stephen Court, mitoyenne de Flury, la confiserie suisse légendaire. Chaque anniversaire était marqué chez les Ryan par
un gâteau de Flury, façonné dans une forme attrayante :

un jour, un piano à queue en chocolat pour Shirley, une autre fois, un adorable chalet alpin à la porte encadrée de rosiers pour Paddy.

Les Ryan se plaisaient à dire qu'ils habitaient à un jet de pierre de Park Street, mais la réalité était tout autre. Leur premier étage dans Sharif Lane était à une bonne quinzaine de minutes de Flury en rickshaw, à condition que les pédales soient actionnées par des mollets bien musclés. C'était assurément le cas de Gosain, alias Gussy, leur conducteur attitré, qu'Ayah avait sélectionné quand Shirley, âgée de huit ans, avait été inscrite à « la grande école » de Loreto House. Middletown Row était beaucoup trop éloigné pour qu'elle fasse l'aller-retour à pied chaque jour.

Ayah était sortie avec Grace pour procéder à une inspection en bonne et due forme des conducteurs de rickshaw rangés le long du trottoir de Sharif Lane. Penchée en avant, elle avait plongé Grace dans l'embarras en pressant d'un doigt les mollets de chaque homme tour à tour pour en évaluer la fermeté. Lorsque Grace l'avait taxée d'indécence, Ayah avait levé les bras au ciel et pris Allah à témoin qu'elle ne faisait que remplir son devoir vis-à-vis de ses employeurs. Elle parlait à Grace dans un pidgin anglais de son cru visant à souligner l'importance de ce qu'elle entendait lui faire comprendre :

– Voyez, Mem Saab, jambes fines, conducteur pédale, pédale, tombe. Shirley *baba* et Ayah, vilain accident. Bonnes grosses jambes, bien !

Grace, cramoisie de honte et de fou rire retenu, avait considéré l'imposant volume d'Ayah et convenu que Gosain, avec ses « bonnes grosses jambes » était un choix judicieux. Elle avait accepté de lui payer un forfait mensuel pour s'assurer ses services chaque matin et chaque après-midi des jours d'école. Le jeudi, jour de congé des enfants, il devait conduire Grace à New Market pour faire ses emplettes hebdomadaires et, une fois par mois, chez Yasin, dans Collin Street, où l'on achetait toutes les denrées sèches pour la famille. Le dimanche, il était libre de se reposer ou de travailler pour d'autres clients. C'était le jour où Robert Ryan se rendait avec sa famille en voiture à l'église, puis parfois à une séance de cinéma après le déjeuner, s'il se jouait un film qu'ils avaient jugé intéressant.

Cet arrangement convenait très bien à Gosain d'une part, pour le revenu régulier qu'il lui garantissait, et aux Ryan d'autre part, qui y gagnaient un conducteur de rickshaw à leur disposition. Au cours des mois et des années, une affection mutuelle était née entre les employeurs et leur employé. Gosain les saluait d'un « Salaam, *baba* » ou « Salaam, Mem Saab » en souriant. « Hello, Gussy », répondaient les Ryan.

À vrai dire, il était sans importance que Sharif Lane ne se trouvât pas sur le versant chic du quartier. Habiter à « la bonne adresse » n'était pas une préoccupation prioritaire dans les milieux où évoluaient les Ryan, et Grace était contente de l'appartement que Robert leur avait trouvé quand il l'avait amenée à Calcutta après leur mariage.

Situé au premier étage, clair et bien aéré, il comportait trois grandes pièces et une terrasse couverte que les Ryan appelaient leur « véranda ». Le salon-salle à manger, la plus vaste des pièces, était meublé d'un canapé, de deux fauteuils d'un côté et d'une table de six personnes de l'autre, proche de la cuisine et de l'office. Il faisait la fierté et la joie de Grace, qui prenait grand plaisir à le rénover de temps à autre en changeant les tissus de l'ameublement et les rideaux dans les couleurs qui selon elle répondaient au dernier cri de la mode, tantôt rouille, tantôt bordeaux, tantôt beige. Les filles n'étaient pas encouragées à faire usage de la partie salon à l'ordre scrupuleux, aux meubles disposés selon une symétrie précise, avec ses têtières au crochet étalées sur les dossiers et ses napperons de dentelle sous chaque cadre de photo pour protéger de toute égratignure la surface de bois verni sur laquelle ils étaient posés.

Robert et Grace, eux aussi, évitaient le salon sauf, bien entendu, quand ils avaient des invités. Ils préféraient se détendre sur la véranda meublée de rotin et d'un piano droit sur lequel Shirley aimait jouer en chantant de sa voix magnifique de contralto. L'endroit abritait également le Grundig rutilant que Robert réglait chaque soir à sept heures sur Radio Ceylan pour écouter le Binaca Hit Parade (patronné par le dentifrice de la marque), l'émission musicale favorite de toute la famille. Parfois, quand on y jouait un bon morceau de rock'n'roll, Elvis Presley ou Bill Haley and the Comets, ils roulaient le tapis dans un coin de la pièce pour danser. Robert aimait particulièrement avoir Paddy pour cavalière. Légère, élancée, elle avait un sens inné du rythme et ils partageaient un sentiment proche de la joie pure lorsque le duo qu'ils formaient s'enroulait et se déroulait, parfaitement en cadence, heureux et gai. Ils riaient encore lorsqu'ils s'effondraient épuisés, pantelants, leur soif impérieuse avivée à la vue de la haute carafe de citronnade au bord givré qui les attendait sur le piano, transpirant légèrement sur les broderies de son napperon de dentelle.

Les deux autres pièces étaient des chambres disposant chacune d'une salle de bains attenante. Grace et Robert dormaient dans la bleue, la « chambre du maître » qui, en dépit de son nom, n'était ni plus grande ni plus imposante que la chambre rose que se partageaient les filles.

La cuisine et l'office constituaient le domaine d'Ayah. Dans ce dernier, à côté des étagères où s'empilaient assiettes et verres, se trouvaient un placard et une malle noire en métal où elle rangeait ses vêtements et ceux de Jafar Ahmed, son mari, un homme menu et noueux qu'elle appelait, comme presque tout le monde, Apurru.

Apurru n'occupait officiellement aucune fonction chez les Ryan. Il travaillait comme cuisinier et serveur à l'Aventine, un restaurant de luxe à la réputation douteuse, situé dans le quartier des affaires de Calcutta. Invité par Apurru, Robert y était allé déjeuner un jour et avait déclaré qu'on y mangeait « fichtrement bien », mais que ce n'était pas un endroit où emmener les dames, surtout pas pour dîner. Pourtant, Apurru était considéré comme un membre de la famille et son irrésistible caramel à la noix de coco, préparé sur ses deniers pour l'anniversaire de chacune des filles et pour le Noël de tous, mettait l'eau à la bouche des Ryan bien avant le jour J.

Shirley et Paddy aimaient Apurru presque autant qu'elles aimaient Ayah. Dans leur petite enfance, elles avaient passé des heures entières assises sur ses jambes croisées tandis qu'il leur racontait des histoires de son village des environs de Chittagong tout en broyant des cosses de cacahuètes entre ses doigts et en laissant tomber les graines dans leur bouche grand ouverte. Il évoquait le vert éclatant des rizières, les vastes étangs poissonneux, les cocotiers aux ondulations gracieuses et leurs noix qui, avant d'être mûres, offraient la boisson la plus désaltérante du monde. Ayah et Apurru n'avaient pas d'enfants et considéraient les deux filles comme les leurs. C'était à eux, plus volontiers qu'à leurs parents, qu'elles confessaient leurs bêtises. Apurru, après les avoir réprimandées solennellement, les exhortait à bien se conduire, faute de quoi le redoutable « Parti du Congrès » viendrait les enlever pour les punir de leur vilenie.

Apurru ne se faisait qu'une idée très approximative de l'actualité politique (et Ayah, aucune). Un jour, à la mosquée du coin où il se rendait parfois le vendredi, il avait entendu dire que Chittagong faisait partie d'un nouveau pays du nom de Pakistan oriental. Ses visites irrégulières à la mosquée étaient à la source de son ralliement déclaré à la Ligue musulmane, opposée à une autre formation appelée Parti du Congrès. Il ignorait cependant presque tout de l'une comme de l'autre, ne sachant ni ce qu'elles représentaient, ni quels objectifs elles poursuivaient. Sa femme et lui se définissaient, dans son esprit, comme des Indiens en général et des habitants de Calcutta en particulier. Les Ryan, il en était sûr, n'étaient pas indiens, ils faisaient partie du *saab-log*, la classe des maîtres, ce qui les rattachait d'une façon mystérieuse aux Anglais. Mystérieuse, car, comme le Saab, Paddy *baba* était très brune de peau, en dépit de tous les onguents à base de farine de pois, de curcuma, de lait et de miel qu'Ayah lui avait appliqués quand elle était bébé, jusqu'au jour où Mem Saab lui avait intimé l'ordre « d'arrêter ces absurdités, de grâce ».

Pour dormir, Ayah et Apurru étendaient sur le sol de l'office des matelas qu'ils enroulaient le matin et rangeaient contre l'armoire. Apurru s'était donné pour tâche d'allumer le four en terre chaque matin à l'aube et de l'éteindre le soir, lorsque la maisonnée allait se coucher.

Allumer le *chula* n'était pas une mince affaire, mais Apurru avait poussé jusqu'à la perfection l'art de bien répartir le charbon de bois et de limiter au maximum les émissions de fumée, afin que puissent être accomplies les premières tâches de la journée. Il fallait préparer le thé du matin pour le Saab et la Mem Saab, la bouilloire sur un feu, sur l'autre un grand faitout contenant l'eau pour les douches de la famille, d'abord pour les *baba-log* qui, devant partir à l'école, quittaient la maison les premières, puis pour le Saab qui s'en allait au bureau un peu plus tard. La Mem Saab, elle, faisait sa toilette quand tous les autres étaient partis. Le petit déjeuner de chacun attendait après sa douche : toast, œufs brouillés et porridge pour les deux filles, puis un « full English » pour le Saab : œufs sur le plat, pain doré à la poêle, tomates grillées, haricots, le tout accompagné de trois lamelles de bacon. Le dimanche, les petits déjeuners respectifs du Saab et des *baba-log* s'enrichissaient de tartines de pain grillé généreusement beurrées puis enduites d'une confiture noirâtre et malodorante qu'ils semblaient beaucoup aimer, et d'un bol de fruits coupés en morceaux. Mem Saab se contentait de thé et de pain grillé quel que soit le jour de la semaine. Ayah s'occupait de tout préparer, invoquant à voix haute le pardon d'Allah pendant qu'elle faisait frire le bacon, tandis qu'Apurru sirotait son thé en émettant des bruits de déglutition satisfaits et tirait sur une *bîdi*. Il ne s'interrompait que pour soulever les lourds faitouts du feu et pour verser l'eau chaude dans les seaux en acier qu'il allait ensuite porter dans les salles de bains, démentant l'impression de fragilité que donnait son corps menu.

Ainsi commençaient les journées chez les Ryan. Ces moments étaient révélateurs de l'organisation et du bonheur domestique qu'ils connaissaient la plupart du temps au 44-A, Sharif Lane – qu'ils prononçaient « *shérif* lane » comme les autres Anglo-Indiens qui y habitaient. Shirley et Paddy, grandes amatrices de westerns américains, étaient restées longtemps persuadées que leur allée avait été nommée d'après Wyatt Earp, le seul shérif dont le nom méritât d'être attribué à une artère aussi importante.

5

Grace

C'ÉTAIT un samedi après-midi de la mi-janvier. Robert était parti après le déjeuner se faire couper les cheveux chez A.N. John, dans Park Street. Grace, assise à la table de la salle à manger, établissait sa liste mensuelle de courses à effectuer chez Yasin. Ayah se tenait debout devant elle (Grace avait depuis longtemps renoncé à la supplier de s'asseoir), énumérant les articles dont elle aurait besoin de son côté pour la cuisine. Elle ne savait ni lire ni écrire, mais sa mémoire prodigieuse lui permettait aisément de se rappeler tout ce qui lui était nécessaire. Grace écrivait docilement sous sa dictée : coriandre, cumin, lentilles jaunes, moutarde Colman en poudre, gelée Rex (deux paquets, saveurs fraise et orange), cacao en poudre Cadbury, crème anglaise en poudre, thé Darjeeling Lipton, Ovaltine, beurre (quel dommage qu'on ne trouvât plus d'Anchor dans les boutiques, et qu'il fallût se contenter de Polson), cream crackers Brittania, biscuits Bourbon au chocolat et *ghî* végétal Dalda. Oh, oui, et cette confiture noire à la drôle d'odeur que le Saab et les *baba-log* aimaient tant, dont il ne restait qu'un fond de pot. Grace écrivit en souriant : Marmite.

D'où elle se trouvait, Grace entendait Paddy jouer *Chopsticks*, le seul morceau qu'elle connût, sur la véranda. À l'instar de Shirley, quand Paddy était entrée à Loreto House à l'âge de huit ans, elle avait été inscrite au cours de piano. Hélas, elle et son professeur, mère Concepta, une vieille nonne sévère, s'étaient détestées immédiatement. Paddy, paralysée à la vue de la moustache drue de la religieuse, avait été lente à suivre ses instructions. Mère Concepta, de son côté, avait accusé Paddy d'être la fille « la plus stupide du monde, habitée par le démon de l'ignorance délibérée » et lui avait cinglé à plusieurs reprises les phalanges de sa règle en bois avec une sorte de jubilation. Paddy était rentrée à la maison folle de rage, déterminée à ne plus suivre un seul cours sous la férule de cet épouvantail. Point final.

Grace trouvait ce tintement de notes réconfortant, comme s'il l'assurait que tout allait bien, du moins pour le moment, dans le monde qui était le sien. Ce sentiment était teinté de soulagement à l'idée que Noël s'était bien passé, car Noël représentait pour elle quelque chose de terrifiant. Durant la période des festivités, elle priait moins par gratitude pour la naissance du Sauveur que dans l'espoir de voir ces journées se dérouler sans heurts au sein de sa famille. À cette pensée, elle leva un regard coupable vers la représentation du Sacré-Cœur de Jésus accrochée au-dessus de la porte d'entrée en demandant pardon. Robert était toujours d'humeur difficile à la fin de l'année, rongé par un sentiment d'échec pour n'avoir pu partir au pays. Au milieu de la gaieté des échanges, des gâteaux et des chants, entre le bœuf salé et le vin de pomme, les vêtements neufs et les cadeaux si gais dans leurs emballages de couleur, elle se surprenait à l'observer, à surveiller ses propres paroles, à bander toute sa volonté pour inspirer à ses filles d'être aussi prudentes et réservées qu'elle-même, à prier avec ferveur, ô mon Dieu, faites que tout se passe bien. Elle ne pouvait pas oublier qu'une veille de Noël, Robert avait frappé Paddy pour la première fois.

C'était douze ans plus tôt, après que le Raj – l'ère du pouvoir britannique en Inde – s'était achevé au désespoir de tous les Anglo-Indiens, mais Grace s'en souvenait comme si c'était la veille. Robert et elle, aidés par Shirley, décoraient l'arbre de Noël dressé dans un coin du salon. Paddy, alors âgée de six ans, était trop petite pour accrocher les boules clinquantes aux branches, mais son père lui avait promis de la soulever dans ses bras pour qu'elle fixe l'étoile d'argent au sommet de l'arbre quand ils auraient terminé.

Il avait oublié. Simplement. C'était tout, autant dire presque rien. Une fois les décorations en place, il avait spontanément levé le bras et accroché l'étoile parmi les lumières qui clignotaient gaiement, puis s'était reculé avec un sourire de satisfaction devant le travail superbe qu'ils avaient accompli.

Pour Paddy, le monde s'était écroulé d'un seul coup. Avec quelle patience l'enfant avait attendu *son* moment, tout en les regardant préparer cet arbre ravissant ! Et ce moment ne viendrait jamais. Elle s'était ruée sur son père, furieuse, au point de lui faire perdre l'équilibre, lui martelant l'arrière des jambes de ses poings crispés et hurlant : « Menteur ! menteur ! Tu m'avais promis ! »

Robert, amusé et contrit, s'était empressé d'ôter l'étoile pour la remettre à sa fille en pleurs, mais rien ne pouvait plus satisfaire Paddy, et lorsqu'elle l'avait traité pour la troisième fois de « sale menteur », il avait perdu patience.

– Ce dont tu as besoin, c'est d'un bon coup sur les doigts, et ça, fais-moi confiance, tu vas l'avoir ! s'était-il écrié en défaisant sa ceinture. Tends la main !

Grace avait voulu intervenir, mais il l'avait fusillée du regard avec une expression qu'elle ne lui connaissait pas, les yeux réduits à des fentes, en sifflant entre ses dents :

– Ne te mêle pas de ça, Grace. Prends Shirley et filez toutes les deux dans la chambre ! Tout de suite !

Grace et Shirley, malheureuses, s'étaient blotties l'une contre l'autre sur le lit, Grace couvrant de ses mains les oreilles de sa fille pour tenter d'oblitérer les bruits qui leur parvenaient du salon. En vain. Shirley avait entendu la ceinture de cuir cingler la main de Paddy, encore et encore, jusqu'à ce que les hurlements terrorisés de sa cadette s'éteignent dans un gémissement de douleur. Elle sanglotait, incontrôlable, aussi bouleversée que sa sœur, en hurlant : « Je le déteste ! Dis-lui d'arrêter ! » Grace essayait vainement de la faire taire tandis qu'elle répétait : « Il est méchant ! Je le déteste ! Je le déteste ! » À ce moment, une pensée spontanée, un fil de déloyauté ténu comme une volute de fumée s'était insinué dans l'esprit de Grace : Oui, c'est vraiment de la méchanceté. Comment peut-on frapper un enfant comme ça ? Le jour viendra-t-il où je le haïrai, moi aussi ?

La nature solaire et insouciante de Paddy lui avait fait pardonner et oublier la première des six ou sept corrections qu'elle devait recevoir en l'espace de quelques années. La confiance qu'elle avait dans l'amour de son père était si forte que souvent, après lui avoir répondu vertement, elle tendait la main, résignée, en lui disant : « Allez, Papa, vas-y, enlève ta ceinture ! » avec un sourire désarmant qui avait plus d'une fois coupé court aux impulsions violentes de Robert et lui avait arraché un rire. « File, et que je ne te revoie plus devant moi avant d'avoir trouvé une bonne raison de te pardonner ! » C'était comme si le père et la fille savaient que leur amour passait toute discussion. Et toute raclée.

Cette terrible journée laissa pourtant des traces. Une de ses conséquences fut le subtil refroidissement de Shirley vis-à-vis de Robert, à peine perceptible pour qui n'y était pas aussi sensible que Grace, et celle-ci en fut d'autant plus peinée qu'elle savait ce qu'il en coûtait à sa fille de se distancier de son père. Elle devinait la profondeur de l'amertume, la perte de confiance causées par la découverte qu'il pouvait être violent. Devant lui, Shirley était devenue prudente, retranchée dans un cocon de froideur pénible à observer pour Grace. Il en plaisantait parfois et l'appelait sa « Damoiselle de glace », mais Grace savait que s'il avait compris l'origine et la raison de ce comportement, il en aurait eu le cœur brisé.

Parce que Robert aimait ses filles, toutes les deux, indubitablement. Quand elles étaient petites, entendant sa clé tourner dans la serrure le soir au retour du bureau, elles se précipitaient vers la porte d'entrée en pépiant « Daddy ! Daddy ! » Et Robert, avant de saluer Grace, avant même de retirer sa veste et sa cravate, les serrait tour à tour un long moment contre son cœur, les yeux fermés, avec une expression de concentration farouche. La première fois que Grace l'avait vu faire, elle lui avait demandé, poussée par la curiosité, à quoi il pensait. Le rouge lui était monté aux joues et il lui avait répondu en hésitant :

– Je ne sais pas, Grace, elles sont sans défense, encore plus démunies que les chiots errants de la rue. J'ai juste l'impression qu'en les tenant tout contre moi, je leur transmets un peu de ma force, qu'elles en tireront une solidité qui les protégera...

Sa voix avait faibli, il était tombé à genoux et, entourant la taille de Grace de ses bras, il avait enfoui son visage dans sa jupe en murmurant :

– Merci, Gracie, tu m'as offert les plus beaux cadeaux qu'on puisse faire à un homme.

Puis relevant la tête, radieux, le regard illuminé de bonheur, il avait éclaté :

– Gracie, nom d'un petit bonhomme, je suis plus heureux qu'un fichu roi !

Émue aux larmes, elle avait fait appel à toute la légèreté dont elle était capable pour lui répondre, caressant ses cheveux noirs si drus, semblables à ceux de Paddy :

– Allons, idiot, lève-toi donc. Ton thé refroidit. Et si Ayah entrait et qu'elle nous surprenait comme ça ?

Allons, c'était il y a longtemps, se dit Grace, revenant au présent. Les filles devenaient adultes et, Dieu merci, les sujets de friction entre Paddy et son père finiraient par disparaître. Paddy travaillait à présent, elle se débrouillait très bien à l'hôtel des ventes de Victor Menezies. Elle s'était découvert un intérêt pour les vases chinois, les montres de gousset victoriennes et autres antiquités qu'elle avait pour mission de répertorier et de cataloguer. Shirley et elle partaient ensemble chaque matin pour Russell Street dans le rickshaw de Gussy, qui déposait d'abord Shirley devant la boutique des Good Companions où elle travaillait comme bénévole. Elle vendait le ravissant linge de maison que brodaient les femmes rejetées par la société (« nos pauvres sœurs déchues pour qui nous devons prier », rappelait invariablement le père Joseph à St Thomas), hébergées et formées par les dames du Service volontaire d'entraide féminine. Grace se demandait souvent d'où le père Joseph tenait que ces femmes étaient « déchues ». Et si tel n'était pas le cas ? C'était une affirmation extrêmement grave, concernant des personnes qui avaient peut-être seulement manqué de chance en amour. Comme si elles y avaient pu quelque chose, les malheureuses.

Pour revenir à Robert, certes, Grace ne pouvait nier que la préférence de son Mr Wilson pour ce Mukherjî qui avait bien moins d'ancienneté que lui dans l'entreprise était préoccupante. Le fait qu'il s'en soit ouvert à elle en disait long sur la gravité de la situation. Il ne lui avait jamais parlé de son travail auparavant et elle n'avait jamais songé à lui poser des questions. Il partait le matin, comme tous les hommes de sa connaissance, et revenait le soir sans une allusion à ce qu'il avait fait dans la journée. Son père ayant procédé ainsi, elle s'était attendue à la même chose de la part de son mari. Jusqu'à ce que survienne ce problème. Déconcertée, elle s'était creusé les méninges et avait suggéré qu'ils invitent Mr Wilson à dîner au D.I. Il comprendrait très vite que son collègue Ryan était beaucoup plus proche de lui que n'importe quel Indien, non ?

    – D'accord, nous verrons bien, avait répondu Robert.

6

Shirley

Il était dix heures moins le quart, et son rendez-vous était à dix heures. Personne, à l'exception de Paddy, bien entendu, ne savait où se trouvait Shirley. Descendue comme d'habitude à Russell Street devant les Good Companions, elle avait attendu que le rickshaw continue avec Paddy avant de héler un taxi. Dieu sait ce que Gussy aurait pu raconter à Ayah, puis Ayah à sa mère. Et tout aurait capoté. Elle n'aurait pu courir le risque de rater ce rendez-vous qu'elle espérait depuis plusieurs mois. Tandis que Gussy se remettait à pédaler, sa sœur lui avait fait au revoir en croisant les doigts et en articulant silencieusement : « Bonne chance. »

Seule, assise sur un sofa luxueux tapissé de satin, Shirley torturait nerveusement son mouchoir entre ses doigts en attendant d'être introduite derrière la porte capitonnée qui se dressait devant elle. Elle regrettait que Paddy n'ait pu l'accompagner. Elle jeta un regard à son mouchoir irrémédiablement froissé et tenta en vain de lui rendre sa forme, en se rappelant avec un léger sourire la sentence de sa mère : « Une dame ne se montre jamais en public sans son mouchoir. »

Quand elles étaient petites, on les avait envoyées participer aux réceptions d'anniversaire dans leurs plus beaux vêtements, un mouchoir accroché sur le devant de la robe, à l'endroit du cœur, par une épingle de sûreté. Un jour – quel horrible moment ! – Paddy s'était battue avec Eddie machin-chose, dont on fêtait l'anniversaire, au sujet des jouets tombés du sac à surprises pendu au ventilateur du plafond, et elle avait arraché son mouchoir en cherchant à dégrafer l'épingle pour la planter dans la chair du garçon. Résultat, une grande déchirure lacérait sa robe de fête, laissant voir son jupon.

Shirley faillit éclater de rire à ce souvenir. Quel boutefeu, cette Paddy ! Toujours à se mettre dans un mauvais pas. Si elle avait échappé aux coups de ceinture ce jour-là, c'était uniquement parce que Shirley et Ayah, qui avait accompagné les *baba-log* comme d'habitude, avaient juré de ne rien dire à la maison. Ayah avait rhabillé Paddy dans ses vêtements de tous les jours avant que Grace s'aperçoive du désastre et Apurru avait subtilisé la robe pour la faire transmettre par le teinturier au *rafu man*, le retoucheur qui effectuait des reprises d'une discrétion miraculeuse. Il avait payé la réparation de sa poche. Quant au mouchoir déchiré, Ayah l'avait jeté et en avait attribué la perte à une négligence de la part du *dhobi* qui s'acquittait de leur lessive hebdomadaire. L'homme s'était fait réprimander sévèrement par Grace.

Cet épisode n'était qu'un exemple des situations dans lesquelles Paddy excellait à se fourvoyer. Ayah et Shirley semblaient passer leur temps à l'en extirper. Shirley, dans un de ces moments de tête-à-tête avec sa mère qu'elle chérissait, s'était exclamée un jour en riant :

– À moins qu'elle soit plongée dans un livre, on peut être sûr que Paddy est en train de faire une bêtise !

Sa mère avait acquiescé en pouffant et lui avait pincé la joue :

– Alors que ma fille aînée, elle, est une fille sage, n'est-ce pas, Shirl ? Heureusement que je n'ai pas à me faire du souci pour vous deux !

Paddy, cependant, était devenue adulte et responsable. Elle travaillait depuis trois mois, très excitée et fière à l'idée de gagner sa vie. Oncle Victor lui avait attribué un salaire de deux cent cinquante roupies pour commencer, avec la promesse de l'augmenter l'année suivante si elle donnait satisfaction. Shirley se rappelait le jour où Paddy avait reçu sa première paye. Elle avait demandé à oncle Victor la permission de prendre son après-midi et elle était allée à New Market, seule, chercher des cadeaux pour toute la maisonnée. Elle avait acheté à Shirley un bracelet chaîne en argent ponctué de coquillages émaillés bleus. « Pour aller avec tes yeux, Shirl », avait-elle dit. « Oh, Paddy, tu n'aurais pas dû, il t'a sûrement coûté horriblement cher ! » avait-elle répondu en étreignant sa sœur avant de fixer le bijou à son poignet.

Pour sa mère, Paddy avait trouvé une broche en argent émaillé en forme de paon, aux plumes de la queue bleu et vert, que Grace avait soigneusement rangée dans son coffret à bijoux en attendant de la porter à l'occasion de bals au club. Elle avait offert à Robert une paire de boutons de manchettes, en argent eux aussi, gravés d'un R. Il les portait chaque jour et plantait continuellement ses poignets sous les yeux de ses interlocuteurs afin de les leur faire admirer, et pour le plaisir d'expliquer : « C'est ma fille qui me les a offerts, vous savez, la cadette. Sur son premier salaire. »

Ayah avait reçu un sari en soie de sa couleur favorite, vert vif, et Apurru une chaînette de boutons en argent pour fermer les *kurta* blanches qu'il réservait pour ses visites à la mosquée chacun des jours d'Aïd qui ponctuaient l'année et qui étaient un peu comme des Noëls musulmans. Les gens arboraient des vêtements neufs, se saluaient et partageaient d'énormes festins. Il doit être amusant d'être musulman, se disait Shirley, d'avoir plusieurs Noëls à fêter.

Mais franchement, quelles réactions extrêmes ! Quand Paddy leur avait remis leurs cadeaux, Shirley, qui se trouvait là, avait vu Ayah enfouir aussitôt sa tête dans le sari et se mettre à pleurer, tandis qu'Apurru semblait avoir perdu l'usage de la parole sous le choc. Lorsqu'il l'avait recouvré, il n'avait su que caresser la tête de Paddy – hissé sur la pointe des pieds, car à dix-sept ans, elle le dépassait d'une bonne tête – tout en appelant sur sa petite Paddy *baba* les bénédictions d'Allah. C'était un peu curieux, mais adorable.

Shirley tripotait le bracelet, qu'elle portait ce jour-là comme un talisman. Le statut de femme active que Paddy avait acquis était une des raisons pour lesquelles elle se trouvait à cet endroit : elle voulait elle aussi gagner sa vie. Après tout, elle avait presque vingt et un ans, que diable. Une pensée fugitive la traversa : n'était-elle pas la « fille sage » de sa mère ? Qu'aurait dit celle-ci, si elle l'avait vue ? Elle écarta résolument la question, se promettant d'y réfléchir plus tard. Aujourd'hui, elle avait besoin de tout son courage pour faire face à ce qui l'attendait de l'autre côté de la porte capitonnée de satin.

Le lourd battant s'ouvrit sous la poussée d'une main tenant une baguette de percussionniste et un homme jeune passa la tête dans l'entrebâillement :

– Shirley ? C'est bien votre nom ? Benny va vous recevoir.

Les jambes flageolantes, elle franchit le seuil de la pièce la belle et la plus spacieuse qu'elle avait vue de sa vie. Un immense comptoir de bar en acajou longeait le mur du côté de l'entrée. Au fond se dressait une estrade avec piano, batterie au grand complet, cymbales incluses, et plusieurs micros. Entre les deux, des centaines de tables assorties de leurs chaises tapissées de velours rouge attendaient les clients, couvertes chacune d'une nappe blanche damassée sur laquelle était posée une petite lampe à abat-jour de soie rouge. Aux murs, des tentures de soie alternaient avec d'énormes miroirs aux cadres dorés et des lumières jaillissant de niches ménagées dans la pierre à intervalles réguliers. Shirley restait bouche bée devant tant de magnificence.

– Vous n'étiez jamais venue au Prince ? constata le jeune batteur avec gentillesse. C'est quelque chose, non ? Mais venez, on ne va pas faire attendre Benny.

Il lui prit le bras. Les pieds de Shirley semblaient s'enfoncer dans l'épais tapis moelleux tandis qu'il la guidait parmi les tables jusqu'à l'estrade où le légendaire Benny Rosario s'apprêtait à la recevoir.

Fringant, un léger embonpoint, ses cheveux clairsemés lissés vers l'arrière et brillantinés, Benny était assis au piano, vêtu d'un costume brun.

– Pas de batterie pour l'instant, Armand, dit-il en s'adressant à l'homme qui escortait Shirley. Je veux juste entendre comment elle chante.

Il fit signe à la jeune fille de se placer devant un micro.
– Shirley Ryan, c'est bien ça ? Commençons par quelque
chose de facile. *Que sera sera*, vous connaissez ? Comment ?
Plus fort, jeune fille ! Vous avez dit oui ? Alors allez-y,
chantez.

7

Robert

L E GRAND CLIMATISEUR fixé à la fenêtre cliquetait et grondait, mais lui envoyait, Dieu merci, des bouffées d'air froid. Vêtu d'une veste d'été crème en peau d'ange, cravate au cou, Robert Ryan était assis à son bureau dans l'« étude » – ainsi qu'on appelait la pièce des assistants – du service de documentation de Barton Ferne & Co situé à l'avant-dernier étage d'un immeuble encore imposant, quoiqu'un peu décrépit, de Mission Row. Il avait achevé de préparer tous les documents dont on l'avait chargé et les avait envoyés à Peter Wilson, son supérieur, pour approbation. Pendant qu'il attendait leur retour tout en jouant avec son stylo à plume, le beau Sheaffer que Grace lui avait offert pour Noël, ses problèmes revenaient l'assaillir.

Le plus important était, bien entendu, le projet de rentrer au pays. Si seulement il était parti plus tôt, en même temps que sa sœur Maud. Au lieu de saisir la balle au bond, il avait tergiversé, désireux de consolider son épargne. Et à présent ces maudits Indiens au pouvoir l'avaient trahi, proclamant une loi qui interdisait à toute personne de quitter l'Inde avec des fonds personnels, à l'exception d'une somme ridicule, sans commune mesure avec ce dont il aurait besoin pour redémarrer.

Il voulait si fort aller vivre au pays qu'il avait écrit à sa sœur Maud, de sept ans son aînée, pour lui demander son avis. Devait-il amener sa famille coûte que coûte, abandonnant ses économies, pour trouver un travail et tout recommencer ? Il n'avait que quarante-cinq ans, il était dur au labeur, il ne fuyait jamais ses responsabilités au bureau.

Il avait attendu sa réponse dans une impatience angoissée. Le temps lui avait paru long. Sa lettre et celle de Maud avaient pris une semaine chacune pour parvenir à leur destinataire, et Maud avait gardé celle de Robert en attente pendant une bonne quinzaine de jours pour discuter de la situation avec son mari Julius, envisager sa réponse et trouver le temps de la rédiger.

Comme il s'y était un peu attendu, le rapport de sa sœur n'était pas encourageant. Maud disait qu'il ne devait à aucun prix venir sans économies, expliquant que les emplois étaient rares, avec tous ces militaires démobilisés depuis peu qui cherchaient du travail et que, en admettant qu'il en trouve un, faire vivre toute la famille sur son seul salaire tiendrait du prodige. Robert détectait entre les lignes l'attitude réprobatrice coutumière de Maud envers Grace. Elle avait souvent accusé sa femme d'être oisive et parasite, « flemmard comme la reine des abeilles » au simple motif qu'elle était belle, et d'apprendre à ses filles à devenir des fainéantes du même acabit.

Maud, quant à elle, avait toujours travaillé, d'abord en Inde, comme sténotypiste puis, à son arrivée en Angleterre, comme employée dans les entrepôts du grand magasin Marks & Spencer, la seule place qu'elle avait pu trouver. Elle en voulait à sa belle-sœur « gâtée-pourrie » depuis le jour où Robert l'avait épousée et ramenée à Calcutta. « Quel tort t'ont donc fait toutes les jeunes Anglo-Indiennes de cette ville ? » avait-elle demandé, furieuse, à son frère, quand elle s'était retrouvée seule avec lui. Toutes ces jeunes filles dont ils connaissaient les familles, avec qui ils avaient été ensemble aux bals du Grail Club et du D.I., alors que chacune d'entre elles aurait été ravie de ferrer un homme comme lui, gratifié d'un emploi honorable et stable ?

Un soupir échappa à Robert pensant à sa sœur. Franchement, quel caractère détestable ! Lorsqu'elle avait épousé Julius, son ami de longue date (Robert avait été garçon d'honneur à leur mariage), elle nourrissait de grands espoirs qui ne s'étaient pas concrétisés. Julius était passé d'un emploi à l'autre suivant une spirale descendante et il était revenu à Maud de faire bouillir la marmite. C'était pour cette raison qu'ils avaient repoussé leur projet d'avoir des enfants, jusqu'au moment où il avait été trop tard. La pauvre Maud était devenue ce que Grace appelait une « vieille femme aigrie », trimant encore, passé cinquante ans, pour mettre son couple à l'abri du besoin tandis que Julius passait son temps à boire de la bière et à enrichir les preneurs de paris.

La lettre de Maud était sans équivoque. Robert et sa famille ne pouvaient espérer vivre avec elle en Angleterre, sauf peut-être les deux ou trois premières nuits. Elle leur donnait une estimation des loyers hebdomadaires, fort chers, qu'ils pouvaient s'attendre à payer pour un logement décent. En bref, avait commenté Robert avec amertume à ses amis Victor Menezies et Ian Carter au bar du

D.I., c'était « carrément une fin de non-recevoir ». Il allait devoir trouver un autre moyen de rapatrier sa famille.

Victor et Ian compatissaient, bien sûr, mais Robert ne pouvait s'attendre à les voir partager ses sentiments, car leurs situations étaient très différentes de la sienne. Victor, venant de Goa, était citoyen portugais. Sa famille y possédait un vaste domaine où ses trois frères cultivaient des plantations d'anacardiers et de cocotiers. De plus il pouvait se rendre au Portugal quand il le souhaitait. Quant à Ian, il avait hérité de son père une imprimerie prospère de livres éducatifs, calendriers et agendas. Jamais il ne se verrait dans l'obligation de travailler dans un bureau, ni d'affronter la perspective de se retrouver aux ordres d'un enfoiré de patron autochtone.

Car telle était bien l'arête qui lui restait en travers de la gorge. Il aurait préféré balayer les rues au pays plutôt que se faire commander par quelqu'un d'inférieur à lui par la naissance. Il devait coûte que coûte rapatrier sa famille en Angleterre, et il le ferait, nom de nom, il le ferait ! Un jour.

Son problème le plus urgent, ce trouble-fête de Mukher-jî, serait sans doute plus facile à résoudre. Plus il y réfléchissait, plus il lui semblait que Grace avait tiré le bon fil en lui suggérant d'inviter Peter Wilson et son épouse – Alice ? Belinda ? Il allait devoir demander à la secrétaire de Mr Wilson, une petite chipie insolente du nom de Teresa, de lui rappeler son nom. Il ne présenterait pas le couple à tous les hommes du bar, bien entendu, certains d'entre eux pouvant se révéler de fieffés braillards après quelques verres, mais Victor et Ian étaient corrects, et son patron se rendrait compte par lui-même de tout ce que Robert et lui avaient en commun. Après tout, le même sang anglais courait dans leurs veines. Certes, dans le cas de Mr Wilson, c'était plutôt du sang irlandais, mais c'était la même chose, se disait Robert (ignorant, comme tous les habitants de l'Inde, des « différends » qui opposaient Anglais et Irlandais). Tout le monde en Inde le savait, les Anglo-Indiens partageaient avec les Anglais des liens de sang, mais Mr Wilson, nouvelle recrue débarquée d'Angleterre quelques années auparavant, avait sans doute besoin qu'on l'aidât à s'en apercevoir.

Même Clarence Francis, garçon de bureau junior à Barton Ferne, était conscient de la chance qu'il avait d'être anglo-indien. Robert se rappelait Clarry tenant un jour séance dans le couloir devant l'étude des assistants et décrivant à ses semblables les difficultés qu'il avait rencontrées ce matin-là à se frayer un passage à moto au milieu d'une procession de fête – hindoue ou musulmane, il n'aurait su le dire, ces enfoirés en avaient un si grand nombre qu'on s'y perdait.

Dans l'hilarité de son auditoire, il avait poursuivi en riant :

– J'ai vu ces abrutis d'hindous, des millions d'hindous, remonter la rue d'un côté avec leurs drapeaux orange, et les abrutis musulmans de l'autre côté avec leurs drapeaux verts. Tout ce monde-là geignait et criait, je ne vous dis que ça, chacun dans son sabir, impossible de comprendre quoi que ce soit et pas un centimètre carré entre les deux foules pour un seul bon chrétien. Alors j'ai crié : « Maintenant, doux Jésus, viens en aide à Clarence Francis, ton fidèle serviteur », j'ai fait le signe de la croix et en zigzaguant, vrrroum à droite, vrrroum à gauche, j'ai traversé et je suis sorti de cette pagaille avant qu'un seul d'entre eux ait compris ce qui se passait, bande de païens ignares !

Tout le monde était plié en quatre et Robert mourait d'envie de rire, lui aussi, mais il eût été inconvenant de s'y abaisser devant les garçons de bureau. Il leur avait dit : « C'est bon, les gars, maintenant au travail ! », avant de passer le seuil de l'étude et de s'autoriser à pouffer.

Au souvenir de cet épisode, Robert prit sa décision. Oui, ils inviteraient Mr Wilson à dîner le vendredi suivant. Autant mener cette opération le plus vite possible et s'en débarrasser.

8

Barton Ferne & Co

ROBERT se tenait devant le bureau de Mr Wilson, hésitant à frapper. Était-il préférable d'attendre ? Des voix lui parvenaient à travers le teck massif de la porte. Peut-être son patron était-il en rendez-vous important. Il jeta un coup d'œil vers Biswas, le vieux bonhomme de couloir ridé et presque édenté, perché sur un tabouret, dont le travail consistait le plus souvent à garder un œil sur l'ampoule jaune qui surmontait la porte. Lorsqu'elle s'allumait, c'était le signe qu'il devait entrer prendre les documents que Mr Wilson avait préparés pour les distribuer aux assistants.

L'ampoule rouge jouxtant la jaune signifiait, allumée, l'interdiction d'entrer. Soit Mr Wilson dictait son courrier à Teresa, prévenue par une sonnerie dans la pièce minuscule qu'elle occupait au fond du grand bureau, soit il passait un savon à un malheureux subalterne, mais la chose était rare. Robert regarda les ampoules, toutes deux éteintes. Puis il entendit ce qui était indubitablement un rire et décida de frapper avant de passer la tête dans l'entrebâillement.

– Hello, Ryan, entrez, mon vieux, entrez ! s'écria Mr Wilson d'une voix engageante.

Dans n'importe quelle autre circonstance, Robert se serait senti rassuré par la cordialité de Mr Wilson, mais ce qu'il venait de découvrir l'emplissait d'une indignation qui le laissait sans voix.

L'infâme Mukherjî, renversé dans le fauteuil du visiteur face au bureau de Mr Wilson, jambes soulevées, les pieds – les pieds ! – pratiquement posés sur le plateau dudit bureau. Cigarette à la main, il soufflait des ronds de fumée indolents en direction de Robert qu'il regardait entrer.

– Hello, Ryan, dit-il en écho au salut de Mr Wilson, avec son accent indien précieux, à l'articulation exagérée. Nous discutions justement cricket, Peter et moi. Si un lanceur droitier se place à côté du guichet pour envoyer la balle à un batteur gaucher, quelles chances a-t-il de provoquer son élimination pour obstruction, selon vous ?

De son propos, Robert n'avait retenu qu'un mot : Peter. L'enfoiré autochtone avait appelé le patron par son prénom ! Ils en étaient à ce point de familiarité ! Cependant, comme les deux hommes, Mr Wilson et ce maudit, cet... hérétique de Mukherjî – Robert peinait à trouver le terme qui eût exprimé de façon adéquate l'étendue de son horreur – le regardaient d'un air expectatif, il marmonna qu'il ne comprenait pas grand-chose au cricket, qu'il préférait le rugby et le football.

– Dommage, répliqua Mr Wilson, le cricket est *le* sport des gentlemen, vous savez.

Et il se tourna vers Mukherjî qui avait reposé les pieds par terre et s'apprêtait à partir.

– On se rattrapera plus tard, Ronnie. Il faut bien reprendre le collier, non ? Oh, et transmettez les salutations d'Alice à Rîla. Dites-lui qu'elle adore tout simplement la recette de curry de poisson que vous nous avez servie hier soir !

La tête lui tournait tandis que la porte se refermait sur Mukherjî. Il avait les mains moites, l'estomac barbouillé, se sentait nauséeux. *Ronnie ! Rîla ! Alice ! Curry de poisson !* Son univers avait chaviré cul par-dessus tête en moins de cinq minutes.

– Asseyez-vous, Ryan, je vous en prie, dit Mr Wilson d'une voix tonitruante qui résonnait à ses oreilles comme à travers un épais brouillard. Je suis bien content que vous soyez venu, j'allais justement vous faire appeler. Certains changements vont intervenir prochainement, dont je veux m'entretenir avec vous.

Il se pencha brusquement vers Robert avec un ton de sollicitude :

– Mais dites-moi, mon vieux, ça n'a pas l'air d'aller. Vous voulez un verre d'eau ?

Robert secoua la tête pour s'éclaircir les idées.

– Non, monsieur Wilson, je vous en prie, poursuivez.

Et il écouta, incrédule, ce que Mr Wilson avait à lui dire. Dorénavant, Robert devrait soumettre ses brouillons de dossiers à Mukherjî qui les corrigerait pour établir la version définitive avant de les lui transmettre.

– Ronnie a la tête bien faite, vous savez, dit-il. Il est diplômé du King's College de Londres. C'est un niveau plus haut que le mien et que le vôtre, hein, mon vieux ? Il doit avoir cinq ou six ans de moins que moi, mais pour son âge, c'est déjà un homme bien. Il me succédera probablement quand le moment sera venu pour moi de regagner ma chère vieille patrie.

Il retourna vers lui sa boîte de Three Castles, l'ouvrit et prit une cigarette sans en proposer à Robert. Puis il en tapota le bout contre le couvercle métallique et l'alluma. Inhalant profondément la fumée, il reprit :

– Bien sûr, quand nous partirons pour nos six semaines de congés dans les foyers en juin et juillet, Ronnie et moi, vous devrez vous occuper tout seul de la boutique et veiller à ce qu'elle ne parte pas en fumée, d'accord ?

Il termina sa phrase en pouffant de rire pendant que Robert encaissait ce nouveau coup.

– Dans les foyers… ? Mukherjî ? Comment… ?

Mr Wilson projeta la cendre de sa cigarette dans le cendrier.

– Ronnie a été recruté à Londres, ce qui lui ouvre droit aux congés dans les foyers en Angleterre tout comme à moi, vous comprenez ? Et il veut les prendre en été, c'est bien naturel, on ne peut pas le lui reprocher. Mais je suis sûr que vous vous débrouillerez comme un chef, dit-il en souriant avec un clin d'œil à son interlocuteur. J'ai toute confiance en vous, mon vieux. C'est ce que je disais l'autre jour au grand patron du dernier étage.

Robert retourna à son étude sans s'apercevoir de ce qu'il faisait, dans un état d'effarement qui ne le quitta pas de la matinée. Sa déconvenue avait dû se lire sur ses traits, car Peter Wilson avait déployé des trésors de persuasion pour le convaincre que cet arrangement n'était qu'une manière de rendre plus fluide la circulation des dossiers. Cela ne signifiait en rien qu'il devait en référer à Mukherjî (*Ronnie !*) comme à un supérieur. Non, c'était Wilson qui restait son patron. Il continuerait à évaluer ses performances, à le recommander pour des augmentations de salaire, à signer ses demandes de congés. Maigres consolations, mais Robert devrait s'en contenter.

Il reprit peu à peu le contrôle de ses pensées et, quand vint l'heure du déjeuner, il avait arrêté un plan d'action. Un homme averti en vaut deux, c'était notoire. Il allait appeler le jeune Clarry et le cuisinerait afin d'en savoir plus long sur ce *Ronnie* – un nom chrétien ! Le culot de ce type le mettait en rage. Ces jeunes garçons de bureau étaient toujours bien informés sur qui faisait quoi dans les locaux, ils connaissaient tous les ragots, tous les bruits de couloir. Il ne s'était jamais abaissé jusqu'alors à ces manigances d'espion, mais c'était le moment ou jamais d'être bien renseigné.

Après avoir soutiré à Clarry les informations qui lui étaient nécessaires, il irait parler à Mukherjî. On verrait bien ce que cet enfoiré trouvait à dire pour sa défense. Puis, avant la fin de la journée, il irait transmettre à Mr Wilson son invitation à dîner avec Grace et lui au D.I. en compagnie de son épouse. Après tout, il était toujours son patron, non ? Et avant que Mukherjî lui succède, Robert, avec l'aide de Dieu, aurait découvert le moyen de rentrer au pays.

Après avoir tracé les grandes lignes de son plan, il se sentit beaucoup plus calme et, lorsqu'on lui apporta son plateau de déjeuner – une prérogative du personnel sous contrat à Barton Ferne –, il put manger les blancs de poulet panés, la purée de pommes de terre et le roulé à la confiture du dessert avec un semblant de sérénité.

9

Peter

PETER WILSON se sentait l'âme de Little Jack Horner dans la comptine : du cake de Noël où il avait enfoncé son pouce, il avait retiré un fruit confit. Le fruit, c'était l'Inde, ou, plus précisément, Calcutta.

Un tympan crevé lui ayant évité d'être amputé ou tué à la guerre, il avait obtenu un diplôme d'ingénieur dans un institut de technologie à Sheffield, sa ville natale, puis intégré Arthur Balfour & Co, une aciérie, principal fournisseur des établissements Barton Ferne de Calcutta. Après l'Indépendance, l'Inde construisait beaucoup – ponts, barrages et universités poétiquement dénommées « temples du savoir » par ce séduisant M. Nehru – et ses besoins en acier étaient importants. La guerre avait balayé les hommes qui auraient pu devenir les supérieurs de Peter Wilson, et lorsqu'il avait été question d'envoyer quelqu'un en Inde pour veiller aux intérêts de l'entreprise, son nom s'était naturellement trouvé en tête de liste.

Il avait saisi l'occasion avec empressement, trop content d'échapper aux rues grises, au ciel plombé, à la vie morne de l'Angleterre d'après guerre avec son moral en berne, ses villes en ruine et son rationnement draconien. Il revoyait en frissonnant sa vie à Sheffield.

Dans son souvenir, il y pleuvait et il y faisait perpétuellement froid. Alice, qui paraissait plus vieille que son âge, était irritable et grognon, épuisée par les sempiternelles corvées, cuisine, ménage, lessive, exacerbée par la nécessité de faire la queue partout en files interminables, qu'il vente ou qu'il pleuve, pour trois ou quatre malheureux morceaux de beurre ou de viande. Ses enfants – Andrew, qui avait alors trois ans, et Penny, un an – étaient squelettiques et gémissaient constamment, victimes d'un cycle incessant de rhumes, de coqueluches et de bronchites.

Il se rappelait le pavillon mitoyen dans lequel ils avaient vécu, identique à toute l'enfilade de ses voisins, aux murs imprégnés de froid et d'humidité. Comme il lui semblait petit, vu d'ici ! Il revivait la course effrénée vers le compteur à gaz qu'il fallait alimenter continuellement en pièces d'un shilling afin de pouvoir remplir une baignoire d'eau chaude pour toute la famille chaque mercredi, ses allers-retours laborieux entre la maison et le bureau, gelé dans son imper à l'arrêt du bus, condamné le plus souvent à la station debout dans le transport chaotique et surchauffé qui puait les vêtements mouillés et la sueur rance. Dieu tout-puissant, quel cauchemar épouvantable ça avait été !

Il y avait juste un petit peu plus de quatre ans, jamais il n'aurait imaginé que la vie puisse être aussi merveilleuse que celle qu'il vivait aujourd'hui dans la glorieuse ville de Calcutta, éclairée par les derniers rayons de l'été doré de l'Empire.

Peter Wilson, détaché de la maison mère Arthur Balfour & Co en Angleterre, et nommé responsable du service de documentation de Barton Ferne à Calcutta, était bel et bien devenu, à trente-sept ans seulement, un homme important.

Il habitait un bel appartement très aéré au coin de Wood Street et de Theatre Road, juste en face de l'entrée du Saturday Club dont Alice et lui étaient des membres recherchés et assidus. Alice semblait en fait y passer toute sa journée. Elle emmenait les enfants nager à la piscine le matin, puis elle déjeunait avec eux et ils rentraient faire la sieste à la maison. Vers quatre heures, elle retournait au club pour disputer des matchs de tennis. Elle avait appris à jouer avec le marqueur du club et se débrouillait très bien. Elle avait notamment acquis un revers meurtrier. De retour à l'appartement, elle prenait une douche et se faisait belle pour le retour de Peter, puis, assez souvent, ils se retrouvaient au club une fois de plus, au bar du Light Horse, pour un verre en compagnie des nombreux amis qu'ils s'étaient faits. À moins qu'ils aient décidé d'aller plutôt au CCFC (Calcutta Cricket Football Club), dans Gurusaday Road.

Alice s'était affinée, elle avait bronzé. La fâcheuse assommante qu'elle avait été à Sheffield s'était littéralement métamorphosée. Toujours prête à s'amuser, elle était redevenue la jolie jeune femme du Yorkshire dont il était tombé amoureux au point de vouloir l'épouser. Quant aux enfants, Peter s'émerveillait de les voir aussi dodus et pleins de santé, dorlotés par une *ayah* formidable qui prenait soin d'eux, les nourrissait de beurre, de lait et de viande à discrétion (le rationnement n'ayant pas cours en Inde, Dieu merci !), faisait leur toilette et les mettait au lit. Avant qu'Andrew et Penny aillent dormir, quel que soit le programme de leur soirée, Peter et Alice passaient chaque jour une demi-heure avec leurs enfants. Ils remerciaient le ciel et Calcutta de les voir solides, heureux, l'œil vif, blonds et roses comme leur père, pétillants de gaieté comme leur mère.

Ils avaient eu beaucoup de chance de trouver cette *ayah*. Elle leur avait été recommandée par la famille anglaise en partance pour l'Afrique du Sud qui l'employait auparavant. Ruthie était une jeune catholique souriante et énergique qui avait fait tout le chemin depuis sa petite ville des environs de Madras pour gagner de quoi se constituer une dot dans la métropole légendaire qu'était Calcutta. Elle appelait Alice « Madama », Peter « Saar » et les enfants par leurs prénoms.

Étrangère aux coutumes de l'Inde et héritière d'une société plus égalitaire, Alice avait voulu satisfaire sa curiosité en demandant à Ruthie, la première fois qu'elle était venue travailler, pourquoi une jeune catholique avait besoin d'une dot, chose inouïe pour elle dans le monde chrétien.

Ruthie avait riboulé des yeux avec un sourire éclatant de blancheur dans son visage d'ébène avant de répondre :

– Oh, Madama, moi sans dot marie pas. Sans dot, époux vieux, très vieux, ou sans jambe lui, ou sans dents lui.

Et elle avait froncé le nez de dégoût en pouffant devant l'expression stupéfaite d'Alice.

Alice avait fait part à Peter du sort horrible qui guettait une Ruthie mal dotée, et à son insistance, il avait augmenté d'un pourcentage important le salaire de leur *ayah*. La jeune Tamoule avait exprimé sa reconnaissance de façon touchante et promis de dire une neuvaine pour Madama et Saar à l'église le dimanche suivant.

Les enfants s'étaient immédiatement pris d'affection pour elle et bientôt, Ruthie était devenue leur partenaire de jeux favorite. « Ruthie, » appelait la petite Penny d'une voix impérieuse, « viens, on joue à la poupée ». Ruthie, obligeamment, allait chercher la maison miniature achetée chez Hamley, à Londres, lors des derniers congés annuels de la famille, et l'installait au milieu du tapis. Andrew, lorsqu'ils étaient au club, lui demandait de jouer au cricket avec lui. Alors Ruthie calait l'extrémité du pan de son sari dans sa ceinture et effectuait une longue série de lancers de la balle en caoutchouc jaune sans marquer de lassitude tandis qu'il défendait de sa batte d'enfant le petit guichet rouge planté devant lui.

Le cuisinier Osman lui-même, patriarche d'une cinquantaine d'années et père d'une ribambelle d'enfants retournés vivre à Lucknow, sa ville natale, qui interdisait d'ordinaire tout accès à sa cuisine, était descendu de son Olympe pour permettre à Ruthie de lui montrer comment préparer un *uppuma*, plat de l'Inde du Sud que les enfants adoraient manger de temps à autre au petit déjeuner.

Le dimanche, les Wilson partaient en famille avec Ruthie, dès son retour de la messe, pour le Tollygunge Club où Peter et Alice jouaient neuf trous au golf pendant que les enfants nageaient dans la piscine, surveillés par leur *ayah*. Ils y étaient conduits par Gulab, leur chauffeur, dans la vaste et confortable Vauxhall de fonction.

Les dimanches soir se passaient à la maison, en prévision de la semaine laborieuse qui allait suivre. Le cuisinier accompli qu'était Osman, formé dans plusieurs maisonnées anglaises successives, avait ajouté à son répertoire un certain nombre de spécialités qu'Alice lui avait appris à préparer : le rôti de bœuf, le Yorkshire pudding et les crêpes fourrées à la saucisse. Il s'occupait de la maison avec Rafiq, le jeune valet, laissant à Alice tout loisir de mener la vie privilégiée des dames anglaises en Inde.

Le couple Wilson redoutait comme la peste de devoir rentrer un jour en Angleterre et Alice avait déclaré sans ambages qu'elle préférait mourir. Le mandat de cinq ans de Peter allait entrer dans sa dernière année et il était bien décidé à demander son renouvellement. Le jeune Ronnie Mukherjî n'avait qu'à prendre son mal en patience.

À la pensée de Ronnie, il lui revint brusquement en mémoire qu'il avait invité Robert Ryan et sa femme à dîner au Saturday Club le vendredi suivant et qu'il avait oublié de prévenir Alice.

— J'espère que tu n'as rien prévu d'autre, chérie. Sinon, bien sûr, je peux toujours remettre à un autre jour.

— Non, rien pour vendredi soir. Mais pourquoi doit-on l'inviter à dîner ? N'est-ce pas ce type vieux jeu dont Ronnie parlait l'autre soir ? L'Anglo-Indien ? Ronnie le trouve désopilant tellement il est décalé.

Alice, qui n'avait jamais rencontré d'Anglo-Indien de sa vie, avait été intriguée par le personnage. La façon dont Mukherjî s'était amusé à l'imiter, avec une note de cruauté qui avait mis Peter mal à l'aise, l'avait fait rire aux larmes.

— Tu sais, tenta-t-il d'expliquer, Ryan n'est pas un mauvais bougre, loin de là. Il est même sympathique, on s'en rend compte quand on le connaît. Il était tellement bouleversé de m'entendre dire qu'il allait devoir passer en seconde position derrière Ronnie que je me suis cru obligé de faire quelque chose. C'est lui qui a commencé, il voulait nous inviter dans un club du fin fond de sa banlieue, alors il m'a semblé plus judicieux de le convier plutôt au Slap (*Slap and Tickle*, le surnom dont ses membres se plaisaient volontiers à affubler le Saturday Club, décrivait assez bien ce qui s'y passait, surtout le samedi soir).

— Tu n'es qu'un gros nounours indulgent, Peter Wilson ! s'exclama Alice, le serrant dans ses bras en lui donnant un baiser. Et c'est comme ça que je t'aime. Ne t'inquiète pas, je te promets d'être aimable avec ton Anglo-Indien vendredi. Avec sa femme aussi. Maintenant, noue ta cravate et allons-y. On doit retrouver Hamish et Liz Dunbar au Light Horse, et de là nous irons tous les quatre au Prince. On dit que la nouvelle chanteuse est super.

10

Apurru

AYAH était avachie à l'office dans un des deux fauteuils dont Grace lui avait fait cadeau la dernière fois qu'elle avait rénové le mobilier du salon. Le déjeuner était passé. Elle n'avait eu à servir que Mem Saab car Saab et Paddy *baba* étaient au travail comme chaque jour ouvrable, et Shirley *baba* était partie voir Dieu sait quelle connaissance. Difficile de dire ce qu'elle mijotait, ces temps-ci. Les enfants poussaient si vite.

Normalement, entre deux et cinq heures, Grace et Ayah consacraient leur après-midi à la sieste. Shirley s'abstenait de jouer du piano pour ne pas déranger Grace dont la chambre jouxtait la véranda et Paddy se retenait d'aller razzier le réfrigérateur, de peur que le bruit de la porte ne tirât sa chère Ayah de son sommeil bien gagné. Robert, quand, exceptionnellement, il se trouvait à la maison à cette heure-ci, s'affairait en silence sur la véranda. Il s'occupait de la paperasse domestique, rangeant les quittances de loyer, les factures d'électricité et les notes du club. À cinq heures, le moment était venu de presser le bouton qui déclenchait la sonnerie à l'office afin qu'Ayah se réveille et prépare le thé de l'après-midi.

Ce jour-là, pourtant, Ayah n'avait pu s'endormir. Elle s'était tournée et retournée comme une crêpe sur son léger matelas, puis elle avait renoncé et s'était assise lourdement dans son fauteuil, le front plissé, préoccupée et le cœur lourd. La veille au soir, quand Saab et Mem Saab étaient partis avec les *baba-log* au club pour dîner, Apurru lui avait donné force matière à réflexion.

Elle avait bien remarqué ces temps derniers, sans s'y arrêter, qu'Apurru fréquentait la mosquée de plus en plus assidûment. Et la veille, il lui avait dit qu'il y retrouvait plusieurs coreligionnaires dans la perspective d'organiser leur retour au village, près de Chittagong.

– Retourner là-bas ? avait protesté Ayah. Alors qu'on est partis il y a plus de vingt-cinq ans ! À quoi est-ce que ça nous avancerait ?

Apurru lui avait expliqué patiemment la situation. Saab lui avait bien dit qu'il était décidé à partir pour son pays, avec Mem Saab et les *baba-log*. Alors, ce jour-là, que deviendraient-ils tous les deux, Ayah et lui ? Ils étaient trop vieux pour retrouver du travail dans une autre famille, n'était-elle pas de cet avis ? Elle avait acquiescé, lugubre. Ils n'avaient nulle part où aller à Calcutta, avait-il repris, et certes, ils auraient encore les moyens de louer un logis grâce à son salaire, mais combien de temps allait-il pouvoir encore travailler à l'Aventine ? Non, il était beaucoup plus judicieux qu'ils retournent à Chittagong avec leurs économies étoffées par la prime que Saab ne manquerait pas de leur donner après toutes leurs années de bons et loyaux services, pour y ouvrir une agence de location de bus.

Après la prière du vendredi, Apurru avait parlé à un homme qui se lançait dans cette entreprise et qui souhaitait le prendre pour associé. Ils pourraient s'acheter une petite maison à Chittagong et Apurru inviterait sa sœur Fatima à quitter leur village natal pour venir habiter avec eux afin que Sohag Khatoun (comme il était étrange de s'entendre appeler par son véritable nom ! se dit Ayah. Et si rare ! Apurru tenait manifestement à ce qu'elle prenne ses propos très au sérieux) ne se sente pas trop seule pendant qu'il s'occupait de leur affaire, Allah le miséricordieux ayant jugé bon ne pas leur accorder d'enfants pour les réconforter dans leur grand âge.

N'aimait-elle pas sa belle-sœur, sa *khalajaan* ? lui avait-il gentiment demandé. Si, bien sûr, avait-elle répondu, et c'était vrai, elle aimait beaucoup Fatima qu'elle avait connue jadis, au temps lointain où ils vivaient ensemble dans la région de Chittagong. Depuis, la jeune femme avait perdu son mari – Allah ait pitié de son âme –, un homme bon, qui savourait sûrement sa récompense au paradis. C'était une bonne idée de vivre avec elle. Elle n'y trouvait rien à redire.

Désormais Chittagong faisait partie d'un autre pays, avait poursuivi Apurru. Ils devraient se faire délivrer des papiers attestant qu'ils étaient pakistanais pour passer la frontière, sur la route de Jessore. Le voyage ne prendrait qu'une journée de bus. S'ils quittaient Calcutta le matin de bonne heure, ils pouvaient espérer atteindre Chittagong le lendemain, au plus tard le surlendemain. Les certificats de nationalité leur seraient produits avec l'aide de ses amis de la mosquée. Aussitôt qu'ils entreraient en leur possession, elle devrait informer Mem Saab de leur départ imminent.

Voilà ce qui empêchait Ayah de dormir. Comment pouvait-elle dire à Mem Saab qu'elle la quittait ? avait-elle répondu. Et les *baba-log* ? N'étaient-elles pas comme ses propres enfants ? Et comme ceux d'Apurru, du reste ? Pouvaient-ils les abandonner tout bonnement après toutes ces années ? Comme si de rien n'était ? Non, il lui en demandait trop, son cœur se brisait, il allait sûrement lâcher. Elle avait enfoui sa tête entre ses mains et fondu en larmes.

Le visage d'Apurru avait pris une expression très triste, aussi triste que la sienne, mais sa voix était restée ferme.

– Nous devrons les quitter. Après tout, eux aussi, ils envisagent de partir, et s'ils ne le font pas, nous pourrons toujours leur rendre visite de Chittagong, ce n'est pas très loin. Mais si nous ne saisissons pas cette occasion, Dieu sait s'il s'en présentera une autre et si oui, quand. La vie de chacun sur cette terre suit un cours tracé par Allah, loué soit Son nom. Et ta vie doit épouser le cours de celle de ton mari. Donc, tel est mon plan, et tu feras comme je l'ai dit.

Comme elle continuait à pleurer à gros sanglots, la voix d'Apurru s'était durcie :

– Écoute-moi, Sohagi. J'ai été un bon mari pour toi, je n'ai pas pris de seconde épouse comme c'était mon droit pour qu'un fils me soit donné et perpétue mon nom. Vrai ou faux ?

Elle avait hoché la tête dans un silence désolé et, lui prenant la main, l'avait tenue contre sa joue, mouillant ses doigts de larmes.

– Oui, oui, tu es un bon mari, et je t'obéirai.

Cependant, au fond de son cœur, déchirée entre deux allégeances, elle priait Allah pour que les choses n'aillent pas trop vite.

11

Grace

Assise à la table de la salle à manger, l'aérogramme bleu ouvert devant elle, Grace poussa un soupir, désespérant de trouver les mots pour répondre à sa belle-sœur. La missive de Maud, couchée sur un papier de même format et couleur, mais moins fragile, que le papier indien, ne lui offrait que peu d'amorces pour rédiger une lettre vivante et légère, tels les *inlands* (ces feuillets verts pré-affranchis au tarif du courrier intérieur) qu'elle envoyait régulièrement une fois par mois à ses parents. Chaque fois qu'il s'agissait d'écrire à Maud, le talent de Grace pour la correspondance et le plaisir qu'elle y prenait étaient mis en échec. Elle se trouvait à court de mots.

Elle reprit la lettre de sa belle-sœur et la relut en quête d'inspiration. La graphie nette, apprise à l'école des sœurs, ressemblait beaucoup à la sienne. L'abréviation S.A.G (*Saint Antony's Guide*) barrait en diagonale la marque d'affranchissement imprimée en bas et à gauche du verso, confiant son courrier à la garde de saint Antoine de Padoue, patron des objets perdus, afin qu'il ne s'égare pas en route.

La lettre était adressée comme d'habitude à Robert, mais c'était à Grace, invariablement, qu'il incombait d'y répondre. Elle parcourait du regard les tournures familières, les doléances partiellement destinées, elle le savait, à dissuader Robert de partir pour l'Angleterre de peur de se retrouver envahie par sa famille. C'était méconnaître gravement la nature fière de son frère, pensa Grace avec indignation. « ... Si froid tout le temps... mauvaise bronchite... lourdes mensualités à rembourser pour la maison... impossible d'envisager l'installation du chauffage central avant trois ans... Julius examine une proposition de travail (je parie qu'elle hennit et qu'elle a quatre jambes, pensa Grace, impitoyable)... J'espère que les filles se tiennent bien (quel culot, franchement !)... mon bon souvenir à Grace... ta sœur qui t'aime... »

Énervée, désireuse d'en finir avec les pensées déplaisantes que sa belle-sœur ne manquait jamais de lui inspirer, Grace replia les aérogrammes et les déposa à l'écart sur la table. Elle écrirait à Maud plus tard. Pour le moment, elle avait des questions plus urgentes à régler. Cette histoire de retour au pays, notamment, qui tournait à l'épidémie.

Deux jours plus tôt en effet, Ayah était venue la trouver, l'air soucieux, pour lui apprendre qu'Apurru accomplissait des démarches dans l'intention de retourner chez eux, au Pakistan oriental. La nouvelle l'avait stupéfiée alors qu'elle aurait dû s'y attendre puisque c'était elle qui avait éveillé en eux la nécessité d'envisager cette mesure. Cependant, qu'aurait-elle pu faire d'autre ?

Quatre ans plus tôt, peu après le départ de Maud et de Julius, Robert avait commencé à parler sérieusement de rentrer en Angleterre lui aussi et Ayah, glanant des bribes d'informations au hasard des propos qu'échangeaient les enfants, s'était imaginé qu'elle et son mari feraient partie du voyage. Gentiment, avec délicatesse, Grace avait dû la détromper. En dépit de leur plus cher désir, lui avait-elle fait comprendre, les Ryan ne pouvaient les emmener. Ils devraient les laisser tous les deux derrière eux à Calcutta.

– Alors pourquoi partir, Mem Saab ? Qui travaillera pour vous là-bas ? Fera petit déjeuner ? Déjeuner ? Dîner ? Qui fera lits ? Ménage ? avait demandé Ayah, le recours soudain à son pidgin trahissant sa réprobation indignée.

Tête basse, Grace avait dû lui répondre qu'elle se chargerait elle-même de toutes les tâches domestiques en Angleterre. Ayah avait eu l'air scandalisée, et un soupçon sceptique.

– Saab dit qu'on doit partir, alors il le faudra bien, avait conclu Grace, laissant Ayah à ses réflexions.

« Comme c'est facile, pour Saab ! » s'était dit celle-ci.

Cette conversation avait affecté Grace si profondément qu'elle avait passé toute la journée dans l'impatience du retour de Robert. Elle l'avait à peine laissé avaler son thé avant de lui demander tout de go :

– Robert, faut-il vraiment que nous allions en Angleterre ? Nous avons une bonne vie ici. Nous sommes heureux, les enfants le sont aussi. Nous avons de nombreux amis...

Sa phrase était restée en suspens devant le regard incendiaire que son mari lui avait jeté.

– Tu es devenue folle, Grace ? avait-il coupé sans ménagement. Tu ne vois pas ce qui se passe autour de nous ? Faut-il que tu sois aveugle, mince alors, pour ne pas comprendre que nous n'avons aucun avenir dans ce pays. Nous étions les chiens de garde des Anglais quand ils étaient là, et maintenant, ces Indiens de malheur vont nous éjecter à coups de pied dans le derrière et nous prendre tout ce que nous avons. Ils nous détestent parce que nous sommes à moitié anglais, tu ne t'en es pas rendu compte ?

Il avait plaqué violemment sa tasse sur la soucoupe.

– Heureux ! Heureux ! Je t'en ficherai ! Quand tous tes amis auront pris le large et que tu te retrouveras coincée ici au milieu des autochtones avec leurs grands airs, tiens, tu verras à quel point tu seras « heureuse » !

Et il s'était dirigé d'un pas furieux vers la salle de bains, tandis que Grace, bouleversée et honteuse, pensait : « Quelle idiote je fais. »

Partir. Chez soi. Assise, coudes sur la table, Grace passait et repassait ces deux notions dans sa tête tout en massant ses tempes douloureuses. Hormis ses parents, personne ne savait qu'elle n'était pas confrontée pour la première fois à cette perspective. Ses pensées la ramenaient vingt-deux ans plus tôt, à une époque où elle n'avait pas encore fait la connaissance de Robert.

Sitôt mis à la retraite des chemins de fer, son père avait quitté Saharanpur et les plaines torrides du Nord avec sa femme et sa fille unique pour Whitefield, une banlieue arborée et tranquille de Bangalore qu'il considérait comme la « seule ville indienne au climat suffisamment proche du climat anglais ». Grace, vingt et un ans, était à l'apogée de sa beauté. Elle était devenue du jour au lendemain la coqueluche de la communauté. Les jeunes hommes, follement amoureux d'elle, faisaient des pieds et des mains pour attirer son attention partout où elle allait, à l'église, dans les clubs de danse, les réceptions. Son père lui disait en s'esclaffant :

— Je ne compte plus les prétendants qui viennent me demander ta main, Gracie. Pour l'amour de Dieu, ma fille, choisis-toi un mari parmi eux et mets fin aux tourments des autres !

Or Grace n'avait d'yeux que pour Philip Cunningham, le jeune Anglais rieur et séduisant envoyé en Inde par la Lloyd's National, la banque qui l'employait. Il habitait dans le centre de Bangalore avec deux collègues dans un appartement en colocation, ce concept alors exclusivement britannique qui permettait aux jeunes cadres des entreprises anglaises de vivre dans les beaux quartiers en partageant le loyer et les émoluments des domestiques. Elle l'avait rencontré dans le genre de circonstances parfaitement absurdes qui font les délices des romans à l'eau de rose : ils étaient littéralement entrés en collision sur un trottoir de Brigade Road.

Grace, nouvellement arrivée, faisait des courses en ville tout en regardant avec curiosité autour d'elle lorsqu'elle avait senti ses paquets brusquement éjectés de ses mains. Revenant en sursaut à ce qui se passait devant elle, elle avait posé les yeux sur un jeune homme qui se précipitait pour ramasser ses emplettes éparpillées tout en lui prodiguant des excuses pour sa maladresse. Désireux de se faire pardonner, il avait insisté pour l'inviter dans un salon de thé tout proche et non content de balayer ses protestations, il s'était assuré, en gardant tout simplement ses paquets, qu'elle ne pouvait lui fausser compagnie et qu'elle finirait par céder.

Sans doute était-il inévitable que deux jeunes gens aussi rayonnants tombent amoureux l'un de l'autre. Grace avait offert son cœur à Philip aussi promptement qu'elle avait accepté le sien. Ils avaient passé une année entière à se découvrir l'un l'autre dans l'émerveillement. Ils se retrouvaient aussi souvent que possible, seuls dans l'appartement de Philip chaque fois qu'il pouvait persuader ses colocataires de leur laisser partager des moments d'intimité. Se sachant faits l'un pour l'autre, ils voyaient leur mariage comme une évidence et une simple formalité.

Philip l'avait emmenée plusieurs fois au Club, un endroit du centre-ville réservé aux Blancs, dont tout individu anglais arrivant à Bangalore devenait membre automatiquement. Il l'avait assurée qu'elle avait l'air aussi anglais que les Anglais qu'il connaissait. L'idée de duper la clientèle du club avait d'abord procuré à Grace un léger malaise, puis elle s'était rassérénée en se disant que ce n'était qu'une question de temps, qu'elle serait véritablement anglaise une fois mariée à Philip. Encore quelques mois et elle deviendrait Mrs Philip Cunningham, avant de partir en Angleterre avec son époux. Chez elle.

– Nous aurons notre propre pavillon quelque part à Richmond ou à Twickenham. Ni grand ni luxueux, mais ce sera notre chez-nous. Ma mère est déterminée à m'acheter une maison après mon mariage, avait dit Philip. Tu t'y plairas beaucoup, ma chérie. Nous aurons des roses devant notre porte et un petit jardin où tu pourras t'asseoir quand il fait beau.

Grace avait fermé les yeux pour se représenter les lieux. Elle était la femme la plus chanceuse du monde.

Les parents de Grace étaient ravis de son choix, regrettant seulement qu'elle soit destinée à leur être enlevée le jour où elle partirait en Angleterre avec son mari. Allons, ils échangeraient une correspondance fournie, se disaient-ils pour se consoler, et quelle vie merveilleuse ce serait pour leur fille. Peut-être même pourraient-ils un jour partir en Angleterre à leur tour, une fois Grace installée. L'avenir leur souriait.

Philip avait écrit à la mère qui l'avait élevé seule après la mort de son mari, s'attardant sur tout ce qui faisait la perfection de Grace et son « anglicité » tandis que sa promise lisait par-dessus son épaule. Il s'était interrompu pour lui murmurer :

– Elle va beaucoup t'aimer, ma chérie. Tu verras.

Il s'attendait en toute confiance à ce que sa mère soit heureuse pour lui et accepte la femme qu'il s'était choisie par amour.

Il se trompait. Lourdement, irréparablement. Brisé, furieux, ravagé de honte, il n'avait pas osé montrer à Grace la réponse de sa mère dans laquelle, sans mâcher ses mots, elle lui interdisait d'épouser « cette bâtarde d'ascendance inconnue » qui produirait probablement une « portée de noirauds » à leur charge. Elle menaçait de lui couper les vivres et de le déshériter s'il passait outre.

Grace avait compris immédiatement que ses objections concernaient son identité anglo-indienne. Qu'aurait pu lui reprocher d'autre cette femme qui ne l'avait jamais vue ? Philip s'était trompé en disant qu'elle était aussi anglaise qu'on pouvait l'être. Et elle s'était trompée en croyant pouvoir se faire passer pour telle. Elle n'avait abusé qu'elle-même, sa petite personne stupide, crédule et humiliée.

Philip, évitant de croiser le regard tendu et angoissé de Grace, lui avait appris qu'il avait demandé à la banque d'avancer son congé – ce même congé qui aurait été consacré à leur voyage de noces – afin de pouvoir rentrer en Angleterre et convaincre sa mère d'accepter qu'ils se marient.

– Je lui parlerai face à face, je la ferai changer d'avis, avait-il marmonné, la tête entre les mains.

Grace l'avait fixé, écrasée, malheureuse, ravalant la grande nouvelle qu'elle s'était apprêtée avec tant de joie à lui apprendre et dont elle avait cru qu'elle le rendrait heureux. Elle savait, d'instinct, qu'une fois Philip parti en Angleterre, elle ne le reverrait jamais. L'enfant qu'elle portait représentait un problème qu'elle devrait résoudre seule. Dieu tout-puissant, qu'allait-elle faire ?

Alors, comme si quelqu'un avait entendu ses prières, Robert était apparu à Whitefield, venu de Calcutta pour assurer la fonction de témoin au mariage d'un ami et ancien camarade de classe. Il avait su, dès le premier regard, que Grace était la femme de sa vie. Grace avait compris, de son côté, qu'il serait son sauveur.

Les parents de la jeune fille avaient été choqués par son comportement qu'ils assimilaient à l'inconstance. En dépit de tous leurs sermons et de toutes leurs réprimandes, elle avait flirté ouvertement, outrageusement avec Robert jusqu'au moment où ce dernier, ébloui, ensorcelé, lui avait demandé de l'épouser sur-le-champ. Elle avait dit oui.

À ses parents médusés qui lui demandaient ce que devenait Philip dans tout ça, elle avait répondu qu'elle souhaitait épouser Robert autant – et aussitôt – qu'il souhaitait l'épouser. C'était vrai. Il fallait à tout prix qu'elle quitte sans attendre Whitefield et Bangalore où toutes les vieilles tantines qui fréquentaient sa mère n'auraient eu bientôt rien de mieux à faire, dans leurs vies retranchées, que de compter sur leurs doigts les mois écoulés entre le mariage de cette délurée de Grace Ecclestone et la naissance de son enfant. En outre, ayant rejeté systématiquement les demandes en mariage des jeunes gens éligibles, elle n'aurait pu décemment faire volte-face et accepter d'épouser l'un d'eux sans déclencher les rumeurs et les spéculations qu'elle redoutait comme la peste.

Robert, qui n'en revenait pas de sa bonne fortune, était retourné à Calcutta pour demander un congé exceptionnel à son supérieur et dès la publication des bans, ils s'étaient mariés à la petite église de Whitefield. Les parents de Grace s'étaient finalement laissé porter par un tourbillon qu'ils n'avaient trouvé aucun moyen de contrôler. La sœur de Robert n'avait pu assister au mariage, faute de délai suffisamment long entre son annonce et la date de la cérémonie. Leur père et leur mère n'étant plus de ce monde, le côté de l'église destiné aux Ryan aurait paru singulièrement désert, n'eussent les amis de la mariée et de ses parents rempli tous les sièges. Les représentants de la jeune génération, qui incluaient tous les prétendants éconduits de Grace, avaient déclaré l'événement « terriblement romantique, bien à l'image de Grace ». Ils s'étaient mobilisés en masse pour mitrailler de roses rouges et blanches le train qui emportait les nouveaux époux vers Calcutta.

À son arrivée dans la ville, Grace avait été séduite par l'appartement au premier étage du 44-A Sharif Lane et pendant les huit mois qu'avait duré sa grossesse, elle s'était attiré une solide affection de la part de son mari. Elle avait compris qu'il était extrêmement fiable, qu'elle pouvait placer en lui toute sa confiance, qu'il n'avait d'yeux que pour elle. Dans un mariage, ces facteurs constituaient des fondations beaucoup plus solides que l'amour fou, s'était-elle dit. Les sentiments suivraient, bien sûr.

Quand Robert avait annoncé la naissance de Shirley à ses amis du D.I., ils avaient réagi avec admiration :

– Mince alors ! lui avait dit l'un d'eux en lui enfonçant un coude complice dans les côtes, tu n'as pas perdu de temps, Robert !

12

Les préparatifs

VENDREDI SOIR. Aucun son ne parvenait des pièces externes de l'appartement des Ryan, mais derrière les portes résolument closes des deux chambres, le froufrou d'activités qu'ils connaissaient sous le nom de préparatifs allait bon train.

Dans la chambre bleue, Grace avait déjà passé, puis rejeté successivement trois robes. Elle demandait chaque fois son avis à Robert, mais n'attendait pas sa réponse avant de lancer le vêtement refusé sur la flaque de soie colorée qui s'étendait à ses pieds. Elle lui avait fait changer deux fois de cravate et avait épousseté des miettes imaginaires du revers de son costume avant qu'il parvienne à s'échapper en marmonnant qu'il avait mieux à faire, qu'il devait préparer la voiture.

Dans la chambre rose, Shirley, assise sur le lit, regardait avec amusement sa sœur farfouiller dans l'armoire, en retirer l'un après l'autre des cintres garnis de robes et lui demander avec inquiétude : « Qu'est-ce que tu en penses ? » tout comme leur mère, se disait Shirley en étouffant un rire, et elle finit par répondre :

– Celle de couleur pêche, Paddy, elle te va si bien. Je te prêterai mon collier de corail pour porter avec.

Tandis que Paddy se livrait à ses « préparatifs », Shirley, vêtue d'une vieille robe en coton, sa petite valise de vêtements de travail et sa trousse de maquillage l'attendant près de la porte, pensait avec gratitude à sa mère, qui l'avait aidée à réaliser son rêve. Après le triomphe qu'elle avait vécu lorsque, deux mois plus tôt, à l'issue de l'audition, Benny Rosario lui avait dit : « Vous faites l'affaire », elle s'était sentie marcher sur un nuage, mais arrivée à la maison, le retour sur terre avait été rude, car elle était certaine que son père ne la laisserait pas chanter au Prince. « Ma fille, chanteuse de charme ? » lui semblait-il l'entendre dire tout en imaginant son expression outragée et le feu de la colère brûlant dans ses yeux. Sa cause lui avait paru perdue avant même qu'elle la plaidât, car elle n'avait pas le courage de l'affronter. C'était en revanche une faculté toute naturelle pour Paddy.

Elle se rappelait le jour où, un mois plus tôt, sa cadette avait crié à son père lors d'une de leurs disputes torrides qu'il se comportait « comme un enfant de deux ans ». Grace, alarmée, avait levé les yeux d'une des sempiternelles listes de linge, de courses ou de comptes qu'elle était en train d'établir et Shirley avait fermé les yeux, effrayée, se disant : « Oh mon Dieu, ça y est, il va défaire sa ceinture. Ça va recommencer. »

Au bout d'un moment de profond silence, Robert avait éclaté de rire.

– Doux Seigneur ! s'était-il exclamé, rouge et hilare. L'espace d'un instant j'ai cru entendre ma défunte mère,

Dieu ait son âme. Tu es un sacré numéro, Paddy Ryan, moi je te le dis !

Puis il s'était tourné vers Grace :

– À croire que ta belle-mère s'est installée chez toi, Gracie ! Tu as intérêt à surveiller tes manières, avec une revenante de sa trempe dans les parages !

Au souvenir du soulagement qu'elle avait ressenti, Shirley eut un sourire, mais bien que Robert ne l'eût jamais battue ni même menacée d'une raclée et qu'elle n'eût reçu de lui que des caresses, elle savait qu'elle serait toujours incapable de l'affronter sur quelque terrain que ce soit. À la seule idée de se trouver dans cette situation, elle était terrifiée.

C'était Grace qui était venue à sa rescousse. Elle avait écouté sa fille raconter que le chanteur habituel de l'orchestre de Benny était parti, qu'elle avait rassemblé tout son courage pour demander une audition, puis pour s'y rendre. « Cette enfant a beaucoup plus de cran que je l'imaginais, s'était dit Grace. L'enjeu doit être de taille, pour elle. »

– J'en parlerai à Papa, ma chérie, avait-elle alors dit à sa fille. Il va émettre toutes sortes d'objections, tu le sais comme moi. Mais je ferai de mon mieux.

Elle avait tenu promesse. Patiemment, avec un grand calme, elle avait récusé les arguments de Robert un à un.

– Elle est trop jeune ! avait-il déclaré d'entrée de jeu.

– Elle aura vingt et un ans dans quatre mois, c'est une adulte. Et à ce moment-là, elle sera majeure et pourra faire légalement ce qu'elle voudra. Voudrais-tu qu'elle attende jusque-là et qu'elle perde l'occasion qui lui est offerte ? Elle nous en voudrait, tu sais.

– Pourquoi ne choisit-elle pas un métier décent ? Chanteuse de charme, ce n'est pas un travail, ça !

– Elle a réellement du talent et une belle voix, tu t'en es rendu compte. Et puis, ça lui fera du bien, cette occasion de s'illustrer en s'exposant sous les feux de la rampe. Jusqu'ici, c'était toujours Paddy qui remportait les prix à l'école ; donnons sa chance à Shirley, cette fois-ci.

– Comment va-t-elle aller là-bas, et revenir en pleine nuit ? Je ne suis pas chaud pour la laisser partir seule dans le rickshaw de Gussy, avec tout ce qui se passe dans les rues.

– Oh non, il n'en est pas question ! L'hôtel enverra une voiture. Le chauffeur viendra la chercher tous les soirs à la maison et la ramènera. Ce sera comme pour toi avec la voiture de Barton Ferne. Elle sera parfaitement en sécurité, Robert. Je t'en prie, donne-lui ta permission.

Quand il avait grommelé : « Qu'est-ce que les gens vont dire ? », elle s'était aperçue qu'il faiblissait et elle avait abattu son joker :

– Admettons qu'ils parlent, après tout, c'est seulement pour quelques mois. On part chez nous bientôt, non ?

Robert l'avait dévisagée fixement en l'entendant évoquer leur départ, mais elle avait soutenu son regard, l'air candide, et il avait fini par dire :

– Très bien, qu'elle le fasse, alors. Seigneur ! Ces enfants, quel monde ils nous réservent !

Shirley chantait avec Benny et sa formation depuis un peu plus d'un mois. Elle nageait dans la félicité, rapportait des piles de partitions à la maison pour répéter au piano, mémorisant les paroles, se constituant un excellent répertoire. Ce soir-là Paddy l'accompagnait au Prince. Assise parmi le public dans cette belle salle, elle allait l'écouter chanter.

Benny avait laissé entendre à Shirley que c'était un bon jour pour inviter sa famille. Le vendredi, ils jouaient en général jusqu'à une heure du matin, alors qu'ils s'arrêtaient à deux heures le samedi et à minuit les autres soirs de la semaine. Le dimanche, leur jour de congé, les quelques clients irréductibles devaient se contenter de musique enregistrée. Ce vendredi-là, exceptionnellement, ils s'apprêtaient à plier bagage à minuit, car le lendemain était un de ces jours fériés hindous durant lesquels l'alcool était prohibé dans les lieux publics. Le Prince devrait fermer avant la première heure du samedi, et l'orchestre ne reviendrait pas avant le lundi suivant.

Robert et Grace avaient été invités eux aussi, bien entendu, mais ils n'avaient pu accepter, pris par un dîner avec le patron de Robert à son club. Paddy se rendrait donc au Prince avec sa sœur dans le véhicule que l'hôtel mettait à la disposition de Shirley pour venir travailler au night-club et pour rentrer après ce qu'elle appelait désormais le « gig », prestation de l'orchestre dans le jargon de la profession.

Robert descendit au parking afin de faire préparer la voiture dans laquelle ils parcourraient la courte distance qui les séparait du Saturday Club. Ce n'était pas une mince affaire. Il fallait demander à Ayah de descendre et de se mettre à la recherche d'Arun, le garçon préposé à l'entretien du véhicule (lavage de la carrosserie, ménage de l'habitacle), afin qu'il ôte l'énorme et poussiéreuse bâche de toile goudronnée sous laquelle il le gardait à l'abri. La tâche d'Ayah n'était pas facile, car le gamin crasseux de douze ans environ dormait la plupart du temps – et il dormait comme une souche. « Oroooon ! Oroooon ! » Ayah hurlait son nom à plusieurs reprises, jusqu'à ce qu'un croassement ensommeillé s'élève d'un coin sombre. L'ayant localisé à l'oreille, elle allait se camper au-dessus du garçon et lui passait un savon volubile en bengali, rehaussé de quelques malédictions bien senties. Il finissait par se lever en se frottant les yeux et titubait en direction de la voiture.

Une fois la bâche enlevée et la carrosserie dûment essuyée, Robert s'installait au volant et procédait aux vérifications préliminaires rendues nécessaires par le peu de soin qu'Arun apportait à son ouvrage. Il lui fallait rétablir les rétroviseurs, celui de devant comme ceux des côtés, dans leurs positions correctes ; abaisser et relever son pare-soleil pour s'assurer qu'il avait été épousseté ; inspecter celui du passager avant et son petit miroir central qui permettait à Grace de retoucher son rouge à lèvres et qu'il voulait voir parfaitement propre. Enfin, il tournait la clef de contact, appuyait à plusieurs reprises sur l'accélérateur pour faire chauffer le moteur en lui soutirant quelques vroum-vroum satisfaisants, puis cessait toute intervention afin d'écouter son ralenti pour le cas où le mélange de combustible et d'air aurait nécessité un ajustement.

Robert était très fier de sa voiture achetée d'occasion quelque six ans auparavant, maintenue en pleine forme grâce à des révisions régulières au Gaspar's Garage de Lower Circular Road. Robert en connaissait bien le patron, il savait qu'il pouvait compter sur lui pour prendre soin de son véhicule, contrairement aux voyous et aux crapules qui sévissaient dans la plupart des ateliers de mécanique de Calcutta et qui passaient leur vie à duper le client.

C'était une Hindustan 14, fabriquée en Inde sous licence Morris Oxford. Robert avait ôté le H en métal appliqué sur le coffre à l'arrière, trop indien à son goût. Il appelait sa voiture « ma Morris Oxford ».

Il attendait à présent que Grace ait fini de se préparer et le rejoigne, tout en souriant à la pensée des « deux minutes » qu'elle le priait toujours de lui accorder et qui se révélaient immuablement plus proches de vingt. Il s'était habitué à patienter et ne lui en tenait pas rigueur. La beauté de sa femme lui procurait une grande fierté et il lui concédait volontiers le temps nécessaire à « se pomponner », ainsi qu'il se plaisait à le dire, bien qu'il n'eût jamais compris quelles « retouches » son visage pouvait bien nécessiter. Pour lui, Grace était à l'apogée de sa beauté le matin au réveil, les joues roses de sommeil, les cheveux ébouriffés, les yeux adoucis par les rêves. Il avait toutefois appris que certaines des activités auxquelles se livrait son épouse, dont ces préparatifs faisaient partie, entraient dans la catégorie des Choses Inaccessibles à la Compréhension d'un Homme.

Au même moment, Grace, en combinaison devant sa coiffeuse, se penchait face au miroir et s'examinait de très près, un crayon à sourcils à la main. Elle vit sans surprise dans son reflet sa fille cadette qui l'examinait en retour.

Depuis que Paddy avait passé dix ans, Grace s'était rendu compte, un peu plus précisément chaque jour, que Paddy était son sosie. Le même nez droit, les mêmes grands yeux aux cils épais, la même bouche aux courbes généreuses, cette même beauté qui lui attirait tant d'admiration depuis qu'elle était petite. Seul le teint noir de Paddy empêchait les autres de s'en apercevoir et, dans leur aveuglement, ils attribuaient la palme à Shirley. Pourtant le charme de l'aînée se réduirait rapidement avec l'âge à une joliesse très conventionnelle, Grace en avait conscience. La véritable beauté de la famille était indubitablement Paddy – qui elle-même l'ignorait.

« C'est fou comme la couleur de peau est importante dans ce pays, songeait-elle. Et pas seulement pour les Indiens, bien que nous passions notre temps à nous moquer de leur obsession du teint clair. »

La mère de Grace était la seule à avoir constaté la ressemblance qui existait entre elles. Quand les filles étaient plus jeunes, Grace les emmenait chaque année à Whitefield passer un mois de leurs vacances d'été chez leurs grands-parents, loin de la chaleur moite qui devenait chaque jour plus pénible à Calcutta avant l'arrivée de la mousson. Un jour qu'elle observait Paddy assise au jardin et absorbée dans un livre, sa mère s'était exclamée :

– Vraiment, Gracie, Paddy est ton portrait tout craché. Je la regardais, là, tout de suite, et j'ai eu l'impression qu'un fantôme marchait sur ma tombe. C'était comme si tu étais redevenue petite fille, comme si c'était toi, assise à sa place !

Grace, pour avoir élevé deux enfants, maîtrisait en stratège averti l'art de la diversion. Elle avait immédiatement détourné l'attention de sa mère sur une photographie récente de son père en lui demandant quand elle avait été prise et par qui. Elle voulait mettre un terme aux conversations concernant les ressemblances entre parents et enfants dans la famille, de peur qu'elles ne mènent à se poser des questions sur Shirley.

Grace balaya ce souvenir de son esprit avec effort. Elle appliqua en hâte son rouge à lèvres, se leva de son tabouret et pressa le bouton pour appeler Ayah afin qu'elle l'aide à enfiler sa robe et la lui agrafe dans le dos. Si elle ne se dépêchait pas, ils seraient en retard et mieux valait pour eux ne pas faire attendre le supérieur de Robert.

Au doux son du ralenti, Robert alluma le petit venti-lateur en caoutchouc qu'il avait fait fixer au-dessus de la vitre côté conducteur. Puis il sortit une Three Castles de sa boîte, en tapota l'extrémité contre le métal du rabat pour éliminer tout brin de tabac mal tassé et l'alluma.

Les volutes qui s'élevaient paresseusement de sa bouche lui rappelaient le jour pénible où, dans le bureau de Mr Wilson, Mukherjî lui avait soufflé un rond de fumée insolent à la figure. Fidèle à sa résolution, il était allé frap-per le lendemain à sa porte. Devant la plaque en laiton gravée RONEN MUKHERJÎ, un grognement de dérision lui avait échappé : « *Ronnie*, voyez-vous ça ! »

Il s'était présenté sous le prétexte d'interroger son col-lègue sur la façon dont il envisageait les nouvelles méthodes de travail. Mukherjî avait paru quelque peu surpris de la nécessité d'une telle question et lui avait répondu d'un ton légèrement condescendant :

– Eh bien, mon vieux, je pense que vous m'enverrez vos ébauches au lieu de les adresser à Peter, je les corrigerai et je les lui transmettrai. C'est aussi simple que ça.

Robert était resté un moment silencieux, ravalant sa bile à l'idée que ce vaurien d'autochtone corrige ses écrits, mais son désir d'en savoir plus sur l'homme en qui il voyait un ennemi – un homme averti en vaut deux, se répéta-t-il – l'engageait à poursuivre.

– Mr Wilson, je veux dire, Peter, disait que vous aviez fréquenté une université londonienne. Dans quel domaine ?

– J'y ai suivi des études... avait répondu l'autre, marquant un léger temps d'arrêt pour rehausser l'importance de l'expression... en sciences politiques. À King's College.

Robert s'était gaussé de cette réplique au bar du D.I., imitant Mukherjî au grand amusement de son auditoire.

– Quand cet abruti a ralenti sur *suivi des études*, je me suis retenu de lui répondre : « Tu aurais mieux fait de les rattraper, espèce de barbare ignorant ! »

Tout le monde s'était esclaffé, quelques-uns lui avaient asséné de grandes claques sur les omoplates en le félicitant :

– Bien dit, RR ! Tu aurais dû la lui servir, ta réplique. Pour remettre cet enfoiré à sa place. Depuis leur sacrosainte Indépendance, ces maudits autochtones s'imaginent qu'ils nous valent !

Une bouffée de Soir de Paris, le parfum favori de Grace réservé aux grandes occasions, s'insinua par la vitre ouverte et Grace se glissa sur le siège avant à côté de Robert. Elle tourna la tête vers lui.

– Comment me trouves-tu ?

– Dé-vas-ta-trice, Gracie, répondit Robert avec le plus grand sérieux, avant de démarrer.

13

Au Prince

PADDY, assise à une table de quatre personnes, l'une des plus petites de la salle brillamment éclairée, regardait autour d'elle avec curiosité. Voilà donc à quoi ressemblait le Prince, la boîte de nuit la plus connue de tout Calcutta ! Elle dégustait le Coca qu'un serveur avait placé devant elle, une tranche de citron vert à califourchon sur le bord du verre. Quelle présentation distinguée ! Et comment faisaient-ils pour se procurer des glaçons d'une eau aussi limpide ? Ceux qui sortaient du frigo de la maison et même ceux du D.I. avaient toujours l'air opaques.

Toute cette nouveauté n'était pourtant pas complètement inattendue : Shirley lui avait décrit les lieux si souvent qu'elle avait vaguement l'impression d'être déjà venue. Il était encore tôt et seules quelques tables étaient occupées. Des hommes étaient assis au bar sur de hauts tabourets. Le long plateau d'acajou poli était aux commandes d'un barman à l'allure soignée, veste de soirée blanche et nœud papillon noir. Paddy savait qu'il s'appelait Ali, qu'il portait une affection particulière à Shirley et qu'en retour Shirley le trouvait formidable.

Paddy, qui n'avait pas encore dix-huit ans, n'était pas autorisée légalement à entrer dans un night-club, mais les videurs, sachant qu'elle était la sœur de Shirley, avaient fermé les yeux et les serveurs lui souriaient aimablement en passant devant sa table avec des plateaux chargés de boissons et d'amuse-gueule. Il ne restait, d'ailleurs, que deux mois avant qu'elle atteigne sa majorité. Elle avait rayonné de fierté lorsque sa mère avait dit à son père : « Je suis d'avis de la laisser aller au Prince avec Shirley. J'ai confiance en nos filles, elles ne manquent pas de bon sens. » Et pour une fois, il n'avait pas soulevé d'objection.

– Je dois l'admettre, Gracie, Ayah et toi, vous avez fait du beau travail d'éducation avec mes filles, avait-il répondu. Ce sont de jeunes personnes bien élevées, l'une comme l'autre. Elles ne nous feront jamais honte, j'en jurerais !

Paddy attendait que les lumières déclinent sur le parquet de la piste de danse. Shirley l'avait prévenue : c'était le signe que les membres de la formation s'apprêtaient à entrer en scène. Paddy supposait qu'ils étaient en train de passer leurs « vêtements de travail ». Shirley désignait de ce terme les quatre robes longues somptueuses qu'on avait fait confectionner à ses mesures par la maison de couture À la Mode, dans Park Street, où elle avait été dépêchée pour choisir les couleurs qu'elle préférait parmi les rouleaux de soie présélectionnés.

Elle avait fait rire sa sœur en décrivant son premier essayage à l'atelier où elle s'était rendue accompagnée de Grace.

– C'était complètement fou, Paddy, et si embarrassant ! Pendant que j'essayais les robes, Maman n'arrêtait pas de dire : « Trop bas, trop bas » pour leur faire remonter le décolleté. Le tailleur avait beau lui répéter que c'était le style de toutes leurs robes et notamment le style agréé par la direction du Prince, elle ne voulait rien savoir. Elle continuait à marmonner : « Trop bas, trop bas. » J'ai fini par la rabrouer en lui disant : « Maman, s'il te plaît, arrête ! C'est un night-club, pas une église ! Je ne peux pas m'y produire déguisée en bonne sœur ! » Tu aurais vu sa tête !

Paddy s'émerveillait de l'assurance dont Shirley faisait preuve au bout de quelques brèves semaines de travail au Prince. Son aînée avait toujours paru d'une timidité maladive, et voilà qu'elle adressait des sourires éclatants à chacun, quelle que soit sa position dans la hiérarchie. Elle l'avait entendue instruire les serveurs avant de courir se changer dans sa loge de prendre soin de sa petite sœur et de veiller « à ce qu'elle soit placée à la meilleure table, juste au pied de la piste de danse ».

La lumière diminuait d'intensité. Des applaudissements clairsemés se firent entendre et Benny Rosario parut sur l'estrade, suivi d'un jeune homme élancé qui s'assit derrière la batterie. Ce doit être Armand, se dit Paddy. Shirley lui avait souvent parlé de lui comme d'un ami proche. Puis s'avança un petit homme trapu, tenant une boîte d'où il tira un saxophone rutilant. Stanley. Et ce grand échalas devait être Aubrey, le guitariste et chanteur.

La salle s'était remplie. Paddy rivait son regard à la scène dans l'attente de l'apparition de sa sœur, sans voir qu'elle était scrutée elle-même avec beaucoup d'intérêt par un jeune homme en veston de soirée noir parfaitement coupé. Ses cheveux bruns et ondulés, qu'il portait légèrement plus longs sur la nuque et sur les côtés que la plupart de ses

congénères, reflétaient la lumière. Assis au bar, il fixait Paddy avec une admiration non déguisée. Il fit signe à Ali, qui vint placer devant lui des petites coupelles en argent remplies respectivement de mendiants, de « chips », ainsi que les gens de Calcutta appelaient les croustilles, et de lamelles de gingembre épicé. Plus d'un jeune homme désargenté faisait son repas de cet accompagnement gratuit. Ali adressa un sourire chaleureux au jeune Karambir Saab, un des habitués qu'il aimait le mieux, et lui demanda dans une inclinaison grave de la tête :
– Vous désirez autre chose, Saab ?
– Oui ! s'empressa de répondre son interlocuteur. Qui est cette fille, Ali ? Je ne l'ai encore jamais vue par ici.
D'une poussée du menton, il désignait Paddy.
– C'est la sœur de Miss Shirley, Saab, murmura Ali, penché au-dessus du bar dans une attitude de conspirateur, les yeux brillants de joie.
Combien d'idylles romantiques étaient déjà nées entre de jeunes hommes attirants et de ravissantes jeunes filles sous son regard bienveillant dans le cadre magique du Prince ! Ce phénomène lui réchauffait le cœur.
– C'est la première fois qu'elle vient, Saab, et elle s'appelle Miss Paddy. Miss Shirley m'a chargé de veiller sur elle.
– Miss Paddy, la sœur de Shirley ? Ma foi, quelle femme splendide !
Karambir Singh se dressa de toute la prestance de son mètre quatre-vingt-cinq, déposa un pourboire sur le bar à l'attention d'Ali et, sa bière à la main, se dirigea vers la table de Paddy, assise devant son verre de Coca flanqué

de coupelles de noix et de « chips » que le barman vigilant remplaçait à mesure qu'elle les vidait.

– Miss Paddy Ryan, je présume ? dit-il en posant sa chope sur le plateau de la table. Puis-je m'asseoir à côté de vous ?

Paddy se retourna pour lui faire face. L'allusion au docteur Livingstone ne lui avait pas échappé.

– Vous devez être Mr Stanley ? répondit-elle en filant la plaisanterie avec un sourire espiègle. Comment connaissez-vous mon nom ?

– C'est Ali qui me l'a appris, dit Karambir. Et je connais votre sœur Shirley. En fait, c'est pour elle que je suis là ; je viens souvent l'écouter chanter. Alors n'ayez crainte, je ne cherche pas à vous enlever ou à vous ennuyer d'une manière quelconque. J'aimerais simplement vous tenir compagnie. Puis-je m'asseoir ?

Il tendit la main.

– Karambir Singh, pour vous servir, madame.

Paddy leva les yeux vers lui tout en examinant sa requête. Elle se sentait un peu mal à l'aise, seule à cette table, et avant qu'il arrive, elle avait regretté que ses parents n'aient pu venir. En conséquence, elle décida d'accepter. Avec un sourire, elle mit sa main dans celle de Karambir et la serra fermement.

– Enchantée de faire votre connaissance, Karambir Singh. Asseyez-vous, je vous en prie.

Puis, en pouffant d'une façon que Karambir trouva adorable, elle reprit :

– Mais de grâce, ne me donnez pas du madame. Tout le monde m'appelle Paddy.

À ce moment, l'orchestre entonna les premières mesures d'un tube du moment et une voix désincarnée s'éleva dans l'espace :

« Mesdames, messieurs, le Prince et Benny Rosario ont l'honneur de vous présenter l'étoile montante de la chanson à Calcutta : l'unique, l'incomparable Shirley Ryan ! »

Des applaudissements crépitèrent, des hommes poussèrent des hourras et pilonnèrent leurs tables de coups secs tandis que Shirley, dans un fourreau de soie bleu nuit, s'avançait à pas glissés sur la scène, suivie par un projecteur jusqu'au grand micro du centre. Le décrochant de son pied, elle rejeta en arrière sa magnifique chevelure dorée d'un mouvement de la tête et sa voix prit son envol :

– *Besa me, besa me mucho, embrasse-moi mon amour que je puisse oublier...*

Elle adressa un petit geste de la main à Paddy et Paddy le lui rendit, souriant jusqu'aux oreilles, le cœur débordant d'exaltation, d'amour et de fierté. Oubliant les convenances, elle pressa la main de Karambir et, sans quitter des yeux la silhouette bleue, dit dans un murmure étranglé :

– Elle est merveilleuse, n'est-ce pas ? Ma sœur, si belle, si incroyable...

– Merveilleuse, incroyable, c'est bien vrai ! confirma Karambir en écho. Vous avez mille fois raison.

Paddy ne s'était pas aperçue qu'en parlant ainsi, ses yeux étaient fixés sur elle.

14

Le Saturday Club

ÈS LE PREMIER REGARD qu'elle posa sur Alice Wilson, Grace comprit qu'elle en avait trop fait. La jeune femme portait une robe d'été légère. Des sandales à bride arrière se découpaient contre sa peau bronzée aux ongles peints d'un rose nacré qui lui donnait l'air d'une adolescente. Venait-elle de se doucher ou de nager ? Elle avait les cheveux mouillés et son visage était vierge de tout maquillage. Le contraste avec la robe de soie verte de Grace, choisie pour faire ressortir la couleur de ses yeux, mais beaucoup trop formelle, était saisissant. Il lui semblait brusquement que le rang de perles encerclant son cou gracieux accusait son âge et elle se sentait démodée.

Ils étaient entrés au Saturday Club à sept heures et demie tapantes. Robert avait déposé Grace devant le porche qui menait au grand escalier et à la salle de bal. Pendant qu'il garait la voiture devant le bâtiment dans l'aire réservée au stationnement, elle l'attendait dans le petit hall d'entrée, triturant gauchement son collier, ne sachant ce qu'il convenait de faire, lorsqu'un jeune Anglo-Indien surgi à sa droite de derrière le bureau du portier l'avait interpellée :

– Puis-je vous aider, madame ?

Elle avait été soulagée de voir Robert entrer pour expliquer à l'homme qu'ils étaient les invités de Mr Peter Wilson.

– Il n'est pas encore là, avait répondu le portier en les considérant des pieds à la tête d'une façon que Grace avait trouvée insolente.

Pour qui se prenait-il ? Il leur avait désigné une banquette en cuir fatigué d'un geste indolent en lâchant :

– Allez donc vous asseoir pendant que je vérifie avec le Président. Il vient d'arriver.

Assis très droits, l'un à côté de l'autre, Grace et Robert s'étaient sentis déplacés dans ce bastion anglais dont ils franchissaient le seuil pour la première fois et Robert avait glissé à l'oreille de sa femme :

– Mince alors, j'aurais dû les persuader de venir au D.I. Cet endroit me donne la chair de poule.

Juste à ce moment, Mr et Mrs Wilson étaient entrés, tout sourire et se répandant en excuses, s'exclamant, l'œil sur leur montre, qu'ils étaient en retard de cinq minutes. Puis ce fut une volée de questions. Que faisaient-ils assis là ? À quoi pensait donc Fabian ? Mr Wilson avait crié « Fabian ! » puis avait pris le portier à partie en exigeant qu'il lui apporte le livre des invités.

– Espèce de vaurien, tu ne sais donc pas comment on se comporte avec des invités ?

Puis, se tournant vers les Ryan, il s'était exclamé avec indignation :

– Rien à dire, ces gens sont vraiment la...

Une toux bienvenue lui avait épargné de finir sa phrase.

Il les avait guidés vers la salle de bal. En chemin, il s'était brusquement immobilisé avec un sourire désarmant :

– Dieu du ciel, où sont passées mes bonnes manières ? s'était-il écrié.

Puis se tournant vers Grace :

– Veuillez me pardonner, madame Ryan. Peter Wilson. Nous nous sommes déjà salués un jour, au pique-nique du bureau.

Il serra la main de Grace avant de présenter sa femme :

– Et voici Alice. Ryan, je ne crois pas que vous ayez jamais rencontré mon épouse. Alice, Mr et Mrs Ryan. Robert et moi, nous travaillons dans la même boîte. Je t'ai parlé de lui plusieurs fois.

Mrs Wilson tendit la main à Robert :

– Monsieur Ryan, quel plaisir de vous rencontrer enfin. *How do you do ?*

– Très bien, merci, madame Wilson. *How are you ?*

Grace éprouva un pincement au cœur. La réponse était incorrecte. Ayant vécu plus d'un an en compagnie de Philip et de ses amis, elle le savait. Robert, rencontrant son interlocutrice pour la première fois, aurait dû reprendre la même formule. Quand vint son tour, elle ne manqua pas d'y recourir, quoique sur un ton légèrement guindé.

Les présentations terminées, Mr Wilson les introduisit dans la salle à manger, à gauche de la vaste véranda qui ouvrait sur la pelouse et les courts de tennis un peu plus loin. Il avança une chaise à Grace tandis que Robert faisait de même pour Mrs Wilson, puis lança en hindi la formule consacrée pour appeler un serveur :

– *Koi hai ? Khidmatgar !*

15

Karambir

B ENNY avait annoncé un petit entracte et les musiciens s'étaient retirés pour se reposer un moment.

Dans le silence soudain qui suivit, Karambir se tourna vers Paddy et lui dit :

– Je me sens un petit creux. Vous aussi, vous devez avoir faim. Si on prenait quelque chose pour dîner ?

Paddy lui adressa un regard hésitant :

– Je suis censée attendre Shirley. Elle a prévu qu'on dîne ensemble à la fin de sa prestation. Cependant, c'est vrai que j'ai bien faim, poursuivit-elle dans un soupir. Enfin, ce ne sera plus très long.

– Alors, juste un hors-d'œuvre ?

Karambir héla un serveur et lui commanda deux cocktails de crevettes à apporter sur-le-champ, *juldi*.

Paddy secoua la tête pour exprimer son refus sans appel.

– Pas de cocktail pour moi. Je n'ai pas la permission, pas avant mes dix-huit ans. Mes parents ne seraient pas contents.

Karambir éclata de rire.

– Paddy Ryan, vous êtes délicieuse et je vous aurais bien dégustée en guise de hors-d'œuvre ! Il n'y a pas d'alcool dans le « cocktail de crevettes ». S'il y en avait eu, je ne vous l'aurais pas proposé. Vous allez adorer ça, et vos parents n'y verraient aucune objection.

Il lui caressa d'un doigt léger le dos de la main et Paddy frémit à son contact.

— M'accorderez-vous une danse, Paddy Ryan, quand la musique reprendra ?

Ses yeux mordorés plongeaient dans ceux de Paddy avec une ardeur qui déclencha en elle une timidité insolite et elle détourna le regard, non sans lui avoir murmuré un « oui » timide.

Aubrey chantait, Shirley fredonnait derrière lui en battant doucement la mesure contre sa cuisse à l'aide d'un tambourin.

... Quand les marimbas se mettront à jouer,
danse avec moi, fais-moi tanguer...

Karambir et Paddy rejoignirent les autres couples sur le plancher de la piste, ravis de découvrir l'un en l'autre un partenaire exceptionnellement doué. Loin d'être de petite taille, Paddy, dans ses sandales argentées à talons de cinq centimètres, atteignait la hauteur du menton de Karambir, et il fut pris d'un désir fou d'enfouir ses lèvres dans ses boucles en l'étreignant avec passion. « Contrôle-toi, marmonna-t-il pour sa propre gouverne, ou ça ne va pas aller », et il prit soin de tenir sa cavalière à une distance décente.

— Qu'est-ce qui ne va pas aller ? demanda Paddy avec un regard interrogateur.

Il improvisa d'urgence :

– Ce silence malvenu entre nous, chère damoiselle. Les partenaires sont censés converser en dansant, non ?

Puis, se rendant compte qu'il parlait pour ne rien dire, il ajouta :

– Vous êtes la deuxième personne du nom de Paddy que je rencontre, et de loin la plus agréable.

– Qui est l'autre ? demanda Paddy, subitement piquée, à sa grande surprise. Vit-elle à Cal, elle aussi ?

– Non, Dieu soit loué. C'était un de mes camarades d'école. Irlandais, gros et maussade comme une baguette de tambour. Des taches de rousseur, mais les cheveux noirs, votre seul point commun.

Il lui raconta ses années d'études à Dulwich College, non loin du centre de Londres, célèbre pour avoir été l'alma mater de P.G. Wodehouse.

– J'y étais le seul Indien, mais ils étaient habitués aux étrangers qui étaient nombreux à y suivre leurs études. Il en venait de tous les pays du monde. J'ai pris du bon temps là-bas, d'une certaine façon.

– Comment vous appelait-on ?

Quand Paddy avait lu les aventures de Billy Bunter, qui se déroulaient à Geyfriars School en Angleterre, le surnom « Inky » – littéralement « d'un noir d'encre » – donné à l'étudiant indien l'avait amusée. Karambir n'aurait sûrement pu connaître le même sort, se dit-elle, avec son teint d'or pâle presque aussi clair que celui de Shirley. Si quelqu'un pouvait répondre au sobriquet d'Inky, c'était bien elle, Paddy.

– « Indy », répondit Karambir, l'abréviation d'« Indien ». J'étais plutôt épargné, je n'avais pas à me plaindre. C'était mieux que le Français qu'on traitait de « Froggy » et que l'Espagnol qu'on appelait « Señorita ».

Ce souvenir le faisait rire.

– C'était il y a six ans à peine, et j'ai l'impression qu'une vie entière s'est écoulée depuis.

Sous les lumières à présent tamisées, la musique, alanguie, avait pris un tour romantique. La soirée touchait à sa fin. Shirley, de retour au micro, interprétait une chanson lancinante et mélancolique dont les paroles disaient :

Quand ton cœur est en feu
Regarde,
La fumée te pique les yeux...

Paddy, que Karambir tenait par la main, entourant sa taille de son autre bras, ne s'était jamais sentie aussi heureuse.

– À quoi pensez-vous ? demanda-t-il avec douceur.

Paddy, qui était en train d'admirer son cavalier, les fossettes de son sourire, l'arc que dessinaient ses sourcils au-dessus de ses yeux, la boucle de cheveux qui tombait sur son front et qu'elle aurait aimé repousser à sa place, apprit en un éclair l'art de la dissimulation féminine.

– Je vais avoir dix-huit ans, vous savez, répondit-elle du tac au tac, et comme Shirley en aura vingt et un deux mois plus tard, Maman a suggéré qu'on fête nos deux anniversaires en même temps. Elle prévoit une grande soirée, un dîner dansant. Vous viendrez ?

16

Le dîner au Saturday Club

J'AIME BIEN cette bière indienne, dit Alice Wilson. Elle est légère et désaltérante, surtout en été.

Les Wilson et Robert avaient commandé tous les trois la même chose, seule Grace avait choisi un gin tonic.

– Pas mauvaise, c'est vrai, répondit Robert après avoir bu quelques gorgées à sa chope. Pas aussi bonne que la bière que Murree nous fournissait avant de partir pour le Pakistan, mais pas mauvaise du tout...

Peter examinait l'étiquette sur la bouteille à demi vide le long de laquelle ruisselaient des gouttes de condensation qui laissaient un anneau humide sur la nappe en damassé blanc.

– Hmmm, c'est vrai, elle est bonne. Quoique, de temps en temps, je préférerais m'avaler une pinte de bitter...

Grace et Robert se regardèrent, confus. Voulait-il parler d'Angostura bitters ? se demandait Robert. Mais à la pinte, était-ce possible ?

Alice, sentant leur désarroi, crut bon d'expliquer :

– C'est une brune, qu'on trouve dans les pubs, à la pression. On peut aussi en acheter en bouteilles, bien sûr, dans les boutiques sans patente...

Comme les Ryan la regardaient sans comprendre, Peter mit les points sur les i :

— C'est tout simplement une autre variété de bière, et la meilleure est celle qu'on brasse dans le Yorkshire, la région d'où je viens. Si nous passions notre commande ?

Robert avait décidé qu'il ne ferait aucune allusion devant les Wilson à son désir de rentrer au pays. Il n'avait rien pu organiser encore dans ce sens, et à quoi bon risquer de fragiliser sa carrière à Barton Ferne en leur mettant la puce à l'oreille avant d'être fin prêt à donner sa démission ? Le sujet ne quittait pourtant jamais le premier plan de ses pensées. En outre, il avait peut-être déjà un peu trop bu, devant faire descendre avec une gorgée de bière chaque bouchée du hachis Parmentier au goût de papier mâché sur lequel il s'était rabattu à défaut du *jhaal frezi* ou du *biryani* que la carte ne proposait pas. Toujours est-il que, rompant un des petits silences dont sont émaillées les conversations autour d'un repas, il planta sa fourchette dans son plat en disant :

— Vous devez mourir d'envie de rentrer chez vous. Moi, je donnerais n'importe quoi pour partir au pays. Comment pouvez-vous tenir le coup ici ?

— Mais nous sommes bien, ici... commença Alice, aussitôt coupée par son mari.

— Au pays ? Qu'est-ce que vous voulez dire, mon vieux ? Ce n'est pas chez vous, ici ?

— Chez moi ? Calcutta ? Bien sûr que non. Je suis anglo-indien, pardi ! Chez moi, c'est l'Angleterre !

— L'Angleterre ? fit Peter Wilson en écho, stupéfait. Mais n'êtes-vous pas né ici, en Inde ? N'y avez-vous pas passé toute votre vie ? Comment l'Angleterre pourrait-elle être votre pays ? Ça n'a pas de sens, mon cher ami.

Robert rougit et Grace, se hâtant d'intervenir, se tourna vers Alice.

– Vous disiez, madame Wilson, que vous étiez bien, ici. Vous aimez vraiment vivre en Inde ?

– Madame Ryan, s'exclama Alice, rayonnante. Je suis plus heureuse à Calcutta que je l'ai jamais été où que ce soit auparavant, c'est la pure vérité. Vous n'imaginez pas combien la vie est difficile dans le Yorkshire. Une interminable succession de corvées, rien d'autre : la cuisine, le ménage, les courses, la lessive. Le repassage à lui tout seul, une fois par semaine, vous enlève toute votre énergie. Ici, je peux laisser toutes ces tâches aux domestiques et sortir m'amuser, jouer au tennis, au golf, aller voir mes amis. C'est sans comparaison !

Puis se tournant vers son mari :

– N'est-ce pas, Peter, que nous avons de la chance d'être à Calcutta ? Je voudrais ne jamais partir !

– Elle a bien raison, renchérit Peter Wilson. Croyez-moi, Ryan, vous êtes bien mieux ici, mon vieux. L'Angleterre, votre pays ! railla-t-il. Quelle idée ! L'Inde est le meilleur foyer qu'un homme puisse espérer, surtout un type comme vous !

Plus tard, après les remerciements et les adieux, Grace et Robert montèrent en voiture. D'abord, plongés dans leurs pensées respectives, ils ne se parlèrent pas. Grace, désespérée par le jour lugubre sous lequel Alice Wilson leur avait dépeint la vie en Angleterre, se demandait comment elle allait pouvoir s'y faire. Elle comprenait mieux, à présent, pourquoi les lettres de Maud semblaient toujours si tristes.

Elle jeta un coup d'œil à son mari de profil. La mâchoire crispée, l'air sombre, il regardait droit devant lui à travers le pare-brise. Elle eut brusquement de la peine pour lui. Ils n'avaient pas passé un très bon moment. Et il avait mis tant d'espoir dans cette soirée pour faire plus ample connaissance avec son supérieur... Elle couvrit de la sienne la main qui tenait le volant et dit :

– Robert...

Avant qu'elle puisse poursuivre, il lâcha, d'une petite voix brisée qui lui serra le cœur :

– Si c'est notre pays, si nous sommes d'abord indiens, alors pourquoi ne nous appelle-t-on pas Indo-Anglais plutôt qu'Anglo-Indiens ? Dis-moi un peu.

17

Au lit

PETER ET ALICE WILSON, main dans la main, traver-
sèrent la rue qui séparait le club de leur immeuble.
– J'aime assez tes Ryan, Peter. Elle, elle est franchement
très belle, tu ne trouves pas ? dit Alice en montant l'escalier vers leur appartement du dernier étage.
– Hum, je n'ai pas vraiment fait attention, répondit
Peter, qui considérait Grace comme une des plus jolies
femmes qu'il ait jamais vues en chair et en os, comparable
aux vedettes de cinéma et des magazines (ce rusé renard
de Ryan savait assurément les choisir !). Oui, elle est assez
jolie, quand on y pense. Mais Ryan, le pauvre bougre… il
est complètement à côté de la plaque. Il me fait de la peine.
Ils gagnèrent la chambre des enfants où leurs regards
s'attardèrent ensemble sur les petits corps endormis à la
respiration paisible, membres jetés en tous sens, entortillés
dans les draps. Alice se pencha pour caresser doucement
les deux têtes.
Allongé dans leur grand lit double, Peter se mit à bâiller.
La journée avait été longue.
– Heureusement qu'on est samedi demain ! Il faudra
dire à Osman qu'on ne mangera pas à la maison à midi. Je

reviendrai du bureau de bonne heure et nous déjeunerons tous ensemble au Tolly.

Alice se blottit contre lui.

— Je dois aller m'acheter un nouveau gant et des tees à la Pro Shop, dit-elle. J'espère que Moyîn sera libre pour être mon caddy.

Ils s'endormirent. Les Ryan étaient oubliés.

∾

Paddy affecta un ton léger :

— Tu le connais depuis longtemps ? Karambir, je veux dire.

Assise sur son lit, elle observait Shirley qui ôtait son rouge à lèvres avant de tresser ses cheveux, en chemise de nuit devant la coiffeuse.

— Karam ? Oui, je crois bien, répondit sa sœur dans un bâillement. Il était là le premier soir où j'ai chanté, et il revient chaque fois. J'ai vu qu'il s'occupait bien de toi. Il est sympa. Je ne sais pas grand-chose de lui, mais je l'aime bien. Tu t'es bien amusée ?

— Oh oui ! dit Paddy en encerclant ses genoux de ses bras. Tu étais formidable, Shirl ! Karam... (le diminutif ne lui était pas encore familier), Karam pense la même chose. Il s'appelle Singh, et pourtant il n'est pas obligé de porter le turban, c'est drôle, non ? Il vient de quelque part au Rajasthan, Bikini ou quelque chose d'approchant. Non, ce n'est pas possible, Bikini, c'est dans le Pacifique, n'est-ce pas ?

— Je ne sais pas, répondit Shirley d'une voix ensommeillée en s'étendant sur son lit.

Puis elle éteignit sa lampe de chevet.

– Allez, Paddy, c'est l'heure de dormir. Bonne nuit.

Paddy s'allongea docilement, mais elle eut du mal à trouver le sommeil, hantée par des joues creusées de fossettes et deux yeux dorés couleur de miel, qui lui souriaient.

18

De retour du bureau

RONEN MUKHERJÎ et Robert Ryan, assis chacun à sa place habituelle sur la banquette arrière, suivaient des yeux le paysage qui défilait derrière leur vitre afin d'éviter de se regarder ou d'avoir un contact quelconque pendant le trajet. Auparavant, seul Robert, en tant qu'assistant contractuel senior, jouissait du privilège d'être emmené le matin et déposé chez lui le soir, mais depuis que Ronen faisait partie du personnel, il devait partager la voiture de l'entreprise avec lui.

Robert en concevait de la rancœur à double titre. D'une part, il aurait voulu ne jamais avoir affaire à Mukherjî et d'autre part, ce dernier, habitant Ballygunge, était le premier que le chauffeur passait prendre le matin et celui qui, de ce fait, pouvait choisir sa place à l'arrière. Bien entendu, il avait jeté son dévolu sur celle de gauche, la « place du Saab », obligeant de facto Robert à s'asseoir à celle de l'inférieur, la « place de la Mem Saab », juste derrière le chauffeur.

Depuis qu'il se faisait conduire au travail le matin et à la maison le soir, c'est-à-dire depuis quatre ou cinq ans, jamais Robert n'avait adressé la parole à l'homme qui tenait le volant, le considérant un peu comme un conducteur d'autobus avec lequel aucune conversation n'était nécessaire. Gobindo, qui comme lui pouvait avoir une quarantaine d'années, ne trouvait rien à redire au silence dans lequel se déroulaient ces trajets six jours par semaine. Il assimilait Ryan aux *saab*. Même s'il était un peu foncé pour être un *saab* de pure souche, il habitait le même firmament, fût-ce à la périphérie. Dans les rares circonstances où il devait s'adresser à Ryan, il lui donnait du Saab.

Or avec Mukherjî, cet ordre avait été chamboulé. Mukherjî lui avait demandé comment il s'appelait – Gobindo – et quand Ryan n'était pas là, il le poussait à l'appeler Ronen *babu*, à la bengalie, et ils bavardaient ensemble.

Ce jour-là, aussitôt après qu'il eut laissé Ryan au 44-A Sharif Lane, Mukherjî bondit sur le siège avant, comme il le faisait souvent, desserra sa cravate et, selon son habitude, lâcha en bengali sur le ton de la conversation :

– Ouf, nous voilà débarrassés de ce fils de porc. Place à la détente.

« Fils de porc ». Ces mots ne reflétaient, dans l'esprit de Ronen, aucune hostilité particulière à l'encontre de Ryan, mais plutôt le mode d'expression en vigueur dans son milieu. Il savait que Ryan lui en voulait, qu'il le haïssait même, peut-être, mais cela ne faisait que l'amuser et lui inspirer secrètement un sentiment de mépris assez agréable. Pour Ronen, il était évident que les jours de Ryan et de sa clique étaient comptés. Cette caste de demi-Blancs, conçue dans l'intérêt des Anglais pour jouer les contremaîtres, n'avait plus sa place en Inde depuis que le pouvoir britannique avait abdiqué. S'ils tenaient à rester dans ce pays tout neuf, il leur faudrait rejoindre les rangs de ceux qu'ils avaient passé leur vie à dédaigner.

Ronen eut un petit rire méprisant. Le pouvoir avait changé de camp, et ce n'était pas à l'avantage des Anglo-Indiens.

– Tu te rends compte, fit-il remarquer à Gobindo, ce fils de porc a vécu toute sa vie ici et il ne parle même pas un mot de bengali ! Pour qui se prend-il ? Pour un Anglais ? Il est loin du compte ! Les Anglais qui viennent en Inde aujourd'hui, comme Peter Wilson Saab, sont plus respectueux envers moi, le brahmane de pure souche, qu'envers lui. Aujourd'hui, les Anglos sont un non-sens, un anachronisme !

Les termes étaient sans équivoque. « Non-sens », utilisé pour qualifier une personne, était la pire injure qui soit en bengali. Traiter quelqu'un de « non-sens », c'était risquer une empoignade immédiate, voire le déclenchement d'une vendetta interminable entre familles.

Gobindo changea de position sur son siège avec une sensation de gêne, comme chaque fois qu'il entendait Ronen *babu* émettre ce genre de commentaires. Il ne lui était pas facile d'abolir l'habitude, acquise durant toute une vie de service, de respecter ses supérieurs hiérarchiques. Quand Ronen sortit une cigarette de sa boîte en métal pour la lui offrir, il la prit pourtant avec reconnaissance et partit d'un rire obséquieux :

– Assurément ! Ronen *babu*, vous avez mille fois raison !

À leur arrivée devant la grande maison de Ballygunge, Gobindo passa le portail aux larges vantaux de fer forgé, roula le long de la pelouse bien entretenue et arrêta la voiture sous le porche. Puis il descendit et ouvrit la portière à Ronen – ce qu'il ne faisait jamais pour Robert, mais, vrai, il ne pouvait tout de même pas sortir et se mettre à ouvrir des portières en plein milieu de la rue ! De plus, le bruit courait parmi les garçons de bureau et les chauffeurs que Ronen *babu* prendrait la succession du *saab* anglais le jour venu. Il était donc normal de lui manifester un petit supplément de courtoisie... La vie était dure, à chacun de savoir se placer du côté de ses intérêts. Ce n'était qu'une affaire de bon sens.

Ronen pénétra à grands pas dans le hall en criant :

– Vicky ! Monty ! Radha ! Pingola !

Les propriétaires de ces noms, s'entendant appeler, se précipitèrent vers lui. Les deux premiers étaient de grands et beaux bergers allemands de race, achetés au Kennel Club par le père de Ronen qui leur avait choisi pour noms des diminutifs évoquant la reine d'Angleterre et le maréchal Montgomery.

Tandis qu'ils bondissaient et se frottaient aux jambes de Ronen qui les caressait et leur donnait des tapes affectueuses, Radha et Pingola, deux dames bengalies d'un certain âge, vêtues du sari de coton blanc des veuves, accouraient de la cuisine sur leurs pieds nus silencieux, l'une tenant une tasse de thé, l'autre deux assiettes débordant de sucreries et d'amuse-gueule faits maison. Elles les déposèrent sur l'immense table en acajou, à disposition du fils adoré de la famille qui travaillait si dur toute la journée. Il méritait le meilleur de ce que pouvait offrir leur cuisine lorsqu'il rentrait, son labeur terminé.

Radha et Pingola étaient entrées chez les Mukherjî quand Ronen avait douze ans et le considéraient comme leur propre rejeton. Elles étaient de ces femmes que l'on appelait *jhî* : des veuves amenées de leurs villages proches pour travailler comme servantes dans de grandes maisons, soulageant ainsi leurs familles appauvries de la charge de les nourrir. En échange de leurs services, on pourvoyait à tous leurs besoins – gîte, couvert, habillement, et même quelques articles de soins personnels tel le Jabakusum, cette huile pour cheveux à l'odeur écœurante dont aucune Bengalie digne de ce nom n'aurait pu se passer, fût-ce une journée. Elles recevaient en sus un peu d'argent de poche qu'elles épargnaient systématiquement pour l'envoyer à leurs familles. Plus important encore, on leur accordait beaucoup de respect. On ne s'adressait jamais à elles sans ajouter à leur nom le suffixe *-ma* ou le mot *mother*.

– Vous en reprendrez un peu, Poltu*da* ? s'enquit Radha avec affection, tandis que Pingola retournait chercher du thé à la cuisine.

Poltu était le surnom par lequel Ronen était désigné par tous les membres de la famille et la plupart de ses amis. Le suffixe *-da*, littéralement grand frère, marquait aussi le respect envers un supérieur, même plus jeune, dans la hiérarchie sociale.

Ronen repoussa sa chaise et étira ses jambes sous la table.

– Vous me gâtez trop, Radha*ma*, s'esclaffa-t-il. Je serais bientôt rond comme un tabla. À propos, où est Boudi ?

C'était le terme signifiant « femme du frère » par lequel Radha et Pingola (et parfois même la mère de Ronen, sur un ton sarcastique) désignait Rîla, son épouse.

– Qui peut le dire ? répondit Radha en avançant la lèvre inférieure dans une moue de réprobation typiquement bengalie. Sa sœur est venue la voir et elles sont reparties ensemble. Sans dire où ni quand elle reviendrait.

Elle souffla bruyamment à travers ses dents.

– Tchi ! La place d'une femme est chez elle ! En tout cas, c'est ce qu'on nous a appris.

– Sans parler de lui demander la permission, elle n'a même pas prévenu Ma qu'elle partait, renchérit Pingola en évoquant la mère de Ronen. Quelle époque !

19

6, Ballygunge Circular Road

L À, LÀ, Vicky, ma belle ! Là, Monty, là, mon *raja* !
Le bengali était la seule langue que les magnifiques
bergers allemands comprenaient. Ronen les caressait avec
des mots tendres, tandis qu'ils se prélassaient à ses côtés,
les yeux plissés de félicité.

Il se renversa sur les traversins et les coussins de son
énorme lit à baldaquin en teck massif. Les extrémités de la
moustiquaire étaient drapées autour de la partie supérieure
des piliers. On les dénouerait à six heures, quand les mous-
tiques fondaient en essaims résolus à l'attaque des citoyens
de Calcutta, soucieux d'entretenir la réputation de la ville,
épicentre incontesté du paludisme dans le monde civilisé.

Ce samedi après-midi, Ronen, repu après un copieux
déjeuner de ses plats favoris – curry de poisson au riz
et aux *luchi* délicieusement gonflés, accompagné de pois
chiches légèrement sucrés cuisinés avec des lamelles de
noix de coco ; curry de mouton longuement mijoté, fondant en bouche, et chutney de tomate acidulé –, se frottait
le ventre, surpris comme chaque fois par l'embonpoint
qu'il avait pris depuis son retour de Londres un peu plus
d'un an auparavant. Il glissa la main sous sa longue *kurta*

de coton blanc pour dénouer les cordons du *pajama* assorti qu'il portait au-dessous. C'était sa tenue d'intérieur habituelle.

Il promena un regard satisfait autour de la vaste pièce aux baies vitrées qui donnaient sur la pelouse. Tous les meubles, en teck massif, présentaient eux aussi des proportions considérables. Chaque centimètre carré était gravé, chantourné dans le style victorien que l'aristocratie terrienne bengalie affectionnait tant.

En fait, sa famille ne faisait plus partie de l'aristocratie terrienne au sens strict. Toutes leurs terres étaient restées derrière eux lorsqu'ils avaient quitté la région qui aujourd'hui appartenait au Pakistan oriental et reçu cette maison de Ballygunge, plus divers biens immeubles à Calcutta et dans ses environs, dans le cadre du programme d'échanges mis au point entre les deux Bengale. Les propriétés musulmanes de la partie occidentale étaient allées aux hindous exilés de la partie orientale, les propriétés hindoues de l'Est aux musulmans qui avaient quitté l'Ouest.

Le mobilier, outre le lit, comprenait une banquette rembourrée aux proportions imposantes, flanquée d'un fauteuil à bascule qui avait appartenu au grand-père de Ronen, et une coiffeuse sur laquelle Rîla posait ses pots et flacons de cosmétiques auxquels Ronen ne connaissait rien. En fait de produits de toilette, il n'avait recours qu'au Brylcreem (pas question pour lui de s'enduire les cheveux de l'huile malodorante préférée par son père pour les faire briller) et à la lotion après-rasage Aqua Velva dont il se parfumait quand il s'habillait en costume anglais.

Un énorme divan jonché de traversins était adossé au mur. C'était là que Rîla aimait s'asseoir en tailleur pour préparer les chiques de bétel dont elle ne pouvait se passer. Enfin, quand elle était à la maison.

Quand y était-elle ? Dans l'état somnolent où Ronen se trouvait, la question restait de pure forme. Rîla était l'aînée d'une famille encore plus prospère que les Mukherjî, et le père de la jeune femme accédait à ses caprices avec une indulgence encore plus marquée depuis la mort de sa femme quelques années auparavant.

Chaque matin, il envoyait un chauffeur chercher Bablidi (le nom de Rîla pour son clan, auquel sa belle-famille n'avait pas recours) chez son mari pour l'emmener là où elle désirait aller. Souvent, ses sœurs cadettes ou l'une des deux l'accompagnaient et la voiture les emportait pour les déposer chez des parents, au marché, au cinéma, Dieu sait où. Ronen, lui, n'en savait rien et, à vrai dire, il s'en moquait.

Voilà ce qui tenait lieu de vie de couple marié au sein de la classe supérieure bengalie. Ses propres parents n'étaient pas différents. Sa mère partageait son temps entre ses dévotions dans la pièce de prière spécialement aménagée pour elle et la cuisine où elle supervisait Radha et Pingola. Elle était excellente cuisinière. Son *daab chingri* (plat de crevettes mijotées au lait de coco) était un délice très apprécié de sa famille et de ses amis. Quant au père de Ronen, avocat réputé, il passait ses journées dans son étude, une gigantesque salle mal éclairée aux murs couverts de livres, dominée par les portraits de Rabindranath Tagore et de William Shakespeare, accrochés face à face, qui s'interrogeaient du regard à travers la pièce. Il n'en émergeait qu'à l'heure du dîner pour présider à la table où, chaque jour, huit convives au moins s'asseyaient : collègues du barreau, greffiers et bien sûr Ronen, son fils unique.

Les femmes de la maison ne mangeaient jamais en même temps qu'eux. Elles attendaient la fin du repas pour s'asseoir confortablement sur le sol à quelque distance de la table, adossées au mur contre des coussins, leur plateau en argent couvert de petites coupelles contenant les mets préparés. Leurs repas étaient gais, ponctués des rires qui, souvent, accueillaient les histoires racontées par la grand-mère de Ronen, une redoutable veuve pleine d'humour et douée pour le mime. Enfant, Ronen avait souvent regretté de n'être pas né fille, tant les femmes semblaient mieux s'amuser.

Ici, au 6, Ballygunge Circular Road, comme l'Angleterre paraissait lointaine !

Parfois, il lui semblait avoir rêvé ces trois années londoniennes. Et Peggy. Il y avait à peine plus d'un an qu'il l'avait quittée et il ne se rappelait déjà plus les traits de son visage. Avait-elle réellement fait partie de sa vie un jour ? Une partie si importante ?

Poussé par la solitude, quelques mois après avoir atterri à Londres, Ronen avait accompagné des camarades de fac à un bal de Leicester Square. Il ne savait pas danser, mais tout était préférable à la soirée lugubre qu'il aurait passée seul en compagnie de ses livres dans sa chambre du foyer des étudiants indiens de Warren Street. Ses camarades, tous anglais, s'étaient aussitôt évanouis dans un tourbillon pour gagner la piste de danse en compagnie de jeunes filles qu'ils semblaient avoir déjà rencontrées. Ronen était resté gauchement debout contre le mur à écouter la musique et à observer les alentours, content d'avoir enfin abandonné sa chambre.

Une jeune femme avait croisé son regard. Elle s'était approchée et lui avait dit de la manière directe qu'il avait appris à aimer plus tard :

— Bonjour, je m'appelle Peggy Mason. Et vous ?

Ronen s'était déjà rendu compte que son nom paraissait imprononçable aux Anglais. Il s'était donc résolu à décliner son prénom tel qu'il l'avait anglicisé depuis son arrivée :

— Ronnie, enchanté de faire votre connaissance.

Il avait observé son visage, fin et assez quelconque, encadré par une chevelure châtain. Le regret qu'elle n'eût pas été belle le disputait dans son esprit à la reconnaissance qu'il éprouvait à son égard pour lui avoir adressé la parole. Il avait proposé de lui offrir un verre et le sourire chaleureux, adorable qui accompagnait la réponse de Peggy l'avait complètement retourné. Les traits sans grâce de la jeune fille en étaient transformés.

Ils avaient passé la soirée ensemble, à bavarder comme de vieux amis, et Ronen, qui n'avait jamais noué d'amitié avec une femme auparavant, avait été stupéfié par l'aisance avec laquelle il pouvait lui parler. Elle travaillait pour Jaeger, une marque de prêt-à-porter qui tenait boutique dans Regent Street et dont les vêtements – même Ronen le savait – coûtaient les yeux de la tête. Peggy était employée à la comptabilité, dans les bureaux de Chenies Street que possédait l'entreprise.

Elle l'avait fait bien rire avec ses anecdotes sur les duchesses et les marquises, clientes typiques de Jaeger, qui oubliaient de régler leurs factures.

— Plus leur titre est haut, plus elles tombent bas dans la mesquinerie ! avait-elle dit, avant de détailler les excuses fumeuses invoquées par ces femmes de la haute société quand l'entreprise menaçait de les rayer de sa clientèle. Tu te rends compte, Ronnie, celle-là avait le culot de prétendre que son chien lui avait mordu la main et qu'elle ne pouvait plus rédiger de chèques ! Alors que sa famille possède la moitié de Londres, peut-être même la moitié de l'Angleterre, pour ce que j'en sais ! Par contre, elle a pris grand soin de mentionner que son chien était un corgi, comme celui de la reine, tu comprends.

Ronnie ne s'était jamais autant amusé depuis son arrivée à Londres.

Après cette première rencontre, Ronen et Peggy avaient passé tout leur temps libre ensemble. Il avait quitté le foyer pour s'installer à Sussex Gardens afin que Peggy puisse venir le voir et pour leur offrir un refuge quand le temps était trop mauvais. Peggy habitait avec sa famille à Pinner, dans le Middlesex, et quand il lui fallait partir, Ronen l'accompagnait jusqu'à la station de métro de Baker Street d'où elle pouvait rentrer par la Metropolitan Line.

Le week-end, quand il faisait beau, ils prenaient l'autobus jusqu'à Hampstead et partaient se promener au hasard sur la lande. Ils emportaient souvent une thermos de thé et des sandwiches qu'ils mangeaient assis sur un banc avant de s'étendre dans l'herbe haute, invisibles aux passants, enlacés. Ronen lui parlait de l'avenir. Une fois son diplôme de sciences politiques en poche, il l'emmènerait avec lui à Calcutta. Ils se procureraient un petit appartement dans Moira Street ou dans Pretoria Street, car pour rien au monde ils ne vivraient dans la lugubre maison de famille de Ballygunge. Ils auraient deux enfants, une fille pour elle et un garçon pour lui. Des domestiques. Peggy n'aurait plus jamais à travailler, chez elle ou à l'extérieur. Le père de Ronen le ferait admettre au Calcutta Club. Ils iraient pique-niquer au Jardin botanique où poussait le plus grand banyan du monde.

Peggy, confiante, buvait toutes ces promesses. Elle aimait l'écouter parler du mode de vie qu'ils adopteraient ensemble à Calcutta. Elle aimait son sourire, la couleur brune de sa peau, si chaude comparée à sa pâleur. Elle aimait ses cheveux et s'était amusée de la façon dont ils se hérissaient, privés de l'huile dont ils étaient enduits à Calcutta, jusqu'au jour où, riant de ses efforts pour les lisser, elle lui avait acheté un pot de Brylcreem pour les domestiquer. Elle aimait tout en lui, et particulièrement son énonciation. Sa façon appliquée de prononcer les mots lui plaisait et la faisait sourire.

— J'aime la manière dont tu dis « *diddunt* », mon chéri, et « *izzunt it* ». Pas comme moi, qui avale les consonnes pour aller plus vite. Quand je parle, on entend « *dint* », « *innt* ». C'est parce que tu es un étudiant, c'pas... enfin, « n'est-ce pas » ?

Ils avaient ri, s'étaient embrassés. La vie était belle, autant qu'elle peut l'être dans une ville bien disposée envers les gens qui s'aiment.

Lorsqu'il avait obtenu son diplôme (deuxième de sa promotion), Ronen, impatient de se retrouver à Calcutta avec Peggy, s'était mis à organiser activement leur avenir.

— Mon père m'a trouvé un travail. Je serai adjoint du directeur d'une grande entreprise, dont il connaît le patron. Une fois là-bas, je t'enverrai un billet et tu n'auras plus

qu'à embarquer. Je te retrouverai à Bombay et je t'emmè-
nerai à Calcutta. J'ai tellement hâte de te présenter à mon
père ! avait-il poursuivi. Il aime les Anglais. C'est pour
ça qu'il m'a envoyé suivre mes études ici. Il est lui-même
avocat, issu de Lincoln's Inn, tu sais. Il sera si content que
tu fasses partie de la famille, Peg. Et ma mère fera tout
ce qu'il lui demandera de faire.

Avant son départ, il s'était rendu chez un antiquaire de
Highgate Village et avait acheté un médaillon en argent
en forme de cœur. Il avait soigneusement découpé une
photo de lui à ses dimensions pour l'y faire entrer, puis
le lui avait donné.

– Pour que tu ne m'oublies pas, Peg, lui avait-il dit en
la serrant dans ses bras.

Il lui avait interdit de l'accompagner à la gare et quand
elle lui avait demandé pourquoi, il avait répondu :

– Parce qu'en te voyant debout sur le quai je serais
capable de sauter par la fenêtre dans tes bras et je ne
pourrais jamais remonter dans le train.

Levant les yeux de son plat de poisson-frites, il les avait
plongés dans ceux de son amie, et s'était brusquement
avisé, stupéfait, que ces mots prononcés avec légèreté n'en
étaient pas moins l'expression de la pure vérité.

« C'est si loin, tout ça », se dit Ronen. Quelle puérilité
imbécile avait été la sienne. Oui, à présent, il pouvait s'en
faire la critique, ayant depuis longtemps enfoui la douleur
associée à cette période. Quel idiot il avait été ! Peu s'en
fallait qu'il n'éclatât de rire avec un mélange de mépris et
d'amertume en pensant au garçon naïf qui, arrivé à Ballygunge, s'était élancé d'un bond enthousiaste hors de la
voiture avant même qu'elle s'arrête sous le porche, impa-

tient d'exposer tous ses projets d'avenir à son père, de lui parler de Peg, de leur mariage.

Cependant, à l'insistance de sa mère, il lui avait d'abord fallu se plier aux rites de purification qu'imposait son voyage loin des frontières sacrées de l'Inde, censé l'avoir pollué. Il avait dû prendre un bain, se laisser frotter des pieds à la tête, asperger d'eau sacrée du Gange. « Probablement plus sale que l'eau de toutes les toilettes d'Angleterre réunies », avait-il pensé avec dégoût. Il avait supporté l'épreuve sans rien dire, mais lorsqu'on lui avait donné un flacon de ce liquide à boire, il l'avait subrepticement versé dans un pot de fleurs. Trop, c'est trop.

Il lui avait encore fallu manger les mets qu'on lui présentait jusqu'à n'en plus pouvoir avant d'obtenir la permission de gagner l'étude de son père.

La pièce la plus importante de la maison était restée telle qu'il se la rappelait : les armoires aux vitres mal nettoyées renfermant les lourds volumes des textes de loi ; les meubles de bois sombre, énormes, dominés par l'imposant bureau qui occupait le centre sur un tapis élimé ; le portrait de Tagore et celui de Shakespeare face à face. Son père citait l'un et l'autre avec une égale aisance, surtout dans ses moments de gravité ou au contraire de légèreté enjouée, comme durant le dîner quand il exhortait ses jeunes clercs à manger copieusement.

– « *Je veux près de moi des hommes gras* », déclamait-il en faisant signe à Radha et Pingola de les resservir.

Puis, brandissant emphatiquement sa cuiller, il ajoutait :

– Les grands poètes ont un mot juste pour chaque occasion. Prenez-en de la graine, jeunes gens !

De fait, l'essentiel de ce que Ronen avait retenu de ces deux poètes tenait dans les citations de son père. Il avait souri en y repensant tandis que le maître de maison se levait précipitamment de derrière son bureau pour venir l'embrasser. Comme il a vieilli, s'était-il dit. Dieu merci, me voici revenu, je pourrai le soulager de certains soucis.

– Poltu, mon fils ! Te voilà ! Comment vas-tu ? s'était-il exclamé en caressant ses cheveux, ses épaules.

Ronen s'était incliné pour lui toucher le bout des pieds selon le geste traditionnel de respect et d'hommage aux aînés.

– Longue vie à toi, mon enfant, avait murmuré son père puis, le maintenant fermement par les épaules : Laisse-moi te regarder. Cela fait trois ans que j'attends ce moment, avait-il dit en étudiant les traits de son visage.

– Tu vas tout me raconter pendant qu'on boit le thé, avait-il repris après s'être mouché vigoureusement. Les lettres ne disent jamais grand-chose.

Ronen, assis au bureau face à lui sur l'une des deux chaises réservées aux visiteurs, s'était exécuté avec élan :

– Baba, s'était-il écrié en bengali, il y a tellement de choses à dire !

Il avait parlé, parlé à n'en plus finir. De ses professeurs, de ses condisciples, de sa vie à Londres. Son père écoutait, ponctuant ses récits de comparaisons et d'anecdotes personnelles qui commençaient par « De mon temps... ».

L'après-midi laissait place peu à peu au crépuscule. Un domestique était entré, silencieux sur ses pieds nus, pour allumer les appliques. Ronen lui faisait part de l'existence de Peggy, des bénédictions qu'ils attendaient tous deux de lui pour entamer leur vie commune.

119

Son père, les yeux clos, les mains jointes par le bout des doigts soutenant son menton, écoutait son fils comme il le faisait des juristes venus le documenter sur une affaire complexe. Quand Ronen s'était enfin tu, il avait rouvert les paupières.

– Tu as vingt-six ans. Chez un homme, c'est un bon âge pour se marier. Nous en avons tenu compte et tout organisé. La jeune fille s'appelle Rîla, c'est la nièce du propriétaire de Barton Ferne & Co qui t'offre un emploi dans son entreprise. Tout est arrangé. Le mariage aura lieu le mois prochain.

Ronen, atterré, avait bondi sur ses pieds.

– Mais Baba, tu n'écoutais pas ? N'as-tu pas entendu ce que je viens de te dire ? À propos de Peggy ?

– Si, mon fils, j'ai tout entendu, avait répondu l'avocat tranquillement. Et tu m'as entendu, toi aussi. Les cadeaux ont déjà été échangés entre les familles. Ton mariage avec la fille de Samaresh Banerjî est fixé. Ce sont des brahmanes, des gens bien. Elle fera une bonne épouse.

Ronen, au bord des larmes, avait plaidé en vain. Son père était resté implacable. Sans élever la voix, il n'avait rien concédé, sauf un report de la date de la cérémonie devant la panique de son fils qui arguait qu'il n'était pas prêt, qu'il avait besoin de temps.

– Très bien, je vais demander si l'on peut différer jusqu'au mois suivant. Cette démarche me met dans l'embarras vis-à-vis de tes futurs beaux-parents, mais je m'y plierai pour toi.

Ronen s'était précipité dans sa chambre pour écrire une lettre frisant l'incohérence à Peggy. Il lui disait son amour, sa colère contre son père, sa détermination à quitter sa famille pour la rejoindre en Angleterre et y chercher un travail.

J'accepterai n'importe quel emploi. Je sais que ce ne sera pas une vie facile, pas celle à laquelle nous nous attendions, et que nous ne pourrons pas nous marier avant un bon moment. Mais ça ne te sera pas trop pénible, dis, Peggy ? Écris-moi, dis-moi vite ce que tu en penses. J'attends ta lettre.

Il avait attendu en vain. Il lui avait écrit une lettre chaque jour pendant deux semaines, et pris soin de déposer lui-même l'enveloppe dans le panier destiné, près de l'entrée, à la quantité imposante de courrier sortant sécrétée par l'étude de l'avocat. Trois, puis quatre semaines s'étaient écoulées sans qu'une seule réponse lui parvienne.

« En fait, elle ne m'aimait pas, s'était-il dit au bout d'un mois. Tout ce qu'elle convoitait, c'était la vie facile que je lui proposais à Calcutta. J'aurais dû le comprendre plus tôt. Et dire que j'ai failli lâcher ma famille pour elle ! » Les larmes lui brûlaient les yeux. Il s'était plié aux rituels du mariage dans un brouillard.

À présent, prolongeant sa sieste d'après-midi pour passer le temps, Ronen, somnolent, pensait : « Dieu merci, tout ça est derrière moi. » Il eut un rictus de mépris en pensant à l'imbécile qu'il avait été. Quel idéaliste ignorant, avec son obsession pour l'amour ! Heureusement qu'il avait appris la vérité à temps. Toutes les femmes étaient des tacticiennes et des menteuses, Rîla comme les autres. C'était une petite traînée lascive, aucun doute là-dessus, toujours à se coller au frère cadet de sa mère, son Benu *mama*, à lui adresser des sourires de sainte-nitouche et des regards aguichants, au grand chagrin de son épouse. Et lui, Benu, avec sa tête d'oncle vertueux, il fallait le voir laisser traîner ses mains le long du cou et des épaules rondes de Rîla, la caresser, la palper.

Ils le croyaient aveugle. Ils n'avaient pas compris qu'il s'en fichait. Tant que ses besoins étaient assouvis, il se moquait de ce que sa femme pouvait faire et, sur ce plan, il devait reconnaître qu'il n'avait pas à se plaindre : l'appétit sexuel de Rîla paraissait sans borne. Il n'en était donc pas réduit à rôder du côté de Sonargacchi, le quartier des prostituées, comme tant d'autres maris de sa connaissance. Il eut un rire sans joie. Rîla n'était ni meilleure ni pire que toutes les autres femmes.

Quant à sa famille... Entre ses dieux et ses fourneaux, sa mère n'avait jamais de temps à lui accorder. Elle était beaucoup plus proche de ses deux sœurs aînées. Et pour son père, il n'était qu'un pion dans un jeu d'alliances et de réseaux. Ronen n'aurait pas été surpris d'apprendre qu'à marier son fils avec la fille de Samaresh Banerjî il avait gagné une flopée d'affaires juteuses !

Qu'ils aillent tous au diable ! se dit-il. Chacun pour soi et Dieu pour tous. Il n'était pas près d'oublier la leçon ! Les seuls êtres qu'il aimait sans condition étaient ses chiens. Il posa les yeux sur Vicky qui dormait à côté de lui et lui aplatit les oreilles en les lissant. Il sourit avec tendresse en les voyant se redresser vivement à la façon caractéristique des bergers allemands. Elle ouvrit les yeux pour le regarder, puis la gueule dans un grand bâillement paresseux et leva enfin la tête pour la poser sur sa poitrine avant de se rendormir dans un soupir de satisfaction.

À vingt-sept ans, Ronen Mukherjî, qui ne savait plus aimer, faire confiance ou pardonner, était déjà un cynique endurci. Comment aurait-il pu deviner qu'une bonne centaine d'aérogrammes bleus adressés à son nom et affichant « Peggy Mason » dans l'espace réservé à l'expéditeur avaient été détruits sitôt repérés dans la pile de courrier qu'on apportait chaque jour à l'étude de son père ?

20

Voyage à deux

– **B**ONSOIR, Chrissie, bonsoir, Henry, bonsoir, monsieur Menezies Sir !

Paddy couvrit en hâte sa machine à écrire et saisit son sac à main. Il était cinq heures pile. Laissant derrière elle l'immeuble de l'hôtel des ventes, elle tourna à gauche d'un pas décidé vers Middleton Street.

Le soir, les services de Gussy (auxquels Paddy avait toujours recours le matin pour venir travailler) avaient été suspendus quelques mois plus tôt, au terme de longues discussions avec sa mère et Ayah. Pour parvenir à ses fins, elle avait allégué que la venue du rickshaw devant son lieu de travail la contraignait à rentrer immédiatement sans jamais pouvoir aller boire un café à la sortie du bureau avec ses collègues. En dépit des bougonnements contrariés d'Ayah et malgré ses propres réticences, Grace avait reconnu que Paddy était assez grande pour héler un rickshaw ou même un taxi et revenir seule à la maison. Il lui était d'autant plus difficile de refuser que sa fille entendait payer la course sur ses propres deniers.

Arrivée au coin de la rue, Paddy aperçut, dans l'exultation qui faisait tressaillir son cœur chaque jour à la même heure, la Standard Herald bleu ciel, capote repliée, qui l'attendait garée le long du trottoir. Elle franchit les derniers cent mètres au pas de course et lorsqu'elle atteignit le petit coupé, Karambir en jaillit d'un bond par-dessus la portière et elle se jeta dans ses bras.

— Comment va ma princesse aujourd'hui, et où souhaite-t-elle aller ? murmura-t-il en l'enlaçant.

Il lui effleura le haut de l'oreille d'un baiser léger qui démentait la fougue des battements de son cœur.

— Oh, Karam, soupira de bonheur Paddy en le serrant très fort. Comme tu m'as manqué !

— Comment ça ? Depuis hier ? répliqua Karam dans un rire, riboulant des yeux pour feindre la surprise.

Pourtant, lorsqu'il lui ouvrit la portière, il lui dit en lui caressant la joue :

— Toi aussi, tu m'as manqué, princesse. J'ai passé toute la journée à implorer la pendule d'atteindre cinq heures. Tu m'as ensorcelé. Tu ferais mieux de m'embrasser si tu veux que je me transforme en prince charmant.

Paddy obtempéra aussitôt.

— Tu es le prince le plus charmant du monde ! déclara-t-elle. Arrête de chercher les compliments !

Il démarra et elle se cala en biais sur son siège pour le regarder. Le nez droit, les lèvres bien dessinées, le menton résolu. Des fossettes séduisantes creusaient ses joues quand il souriait, les cils couvrant ses yeux dorés étaient d'une longueur insolite, ses cheveux bruns ondulés reflétaient la lumière du soleil. Il était vraiment beau. Si beau qu'elle pouvait à peine croire à la chance de l'avoir pour amoureux.

Chaque soir Karam attendait Paddy à la sortie de son travail, puis ils partaient ensemble dans sa décapotable. Parfois, ils allaient jusqu'au Strand pour regarder le soleil se coucher sur le fleuve et les contours du magnifique pont de Howrah en contre-jour. D'autres jours, ils allaient main dans la main à travers le jardin très vert du Victoria Memorial jusqu'à ce qu'ils trouvent un banc libre où s'asseoir, ou bien ils roulaient jusqu'à l'aéroport de Dum Dum par la route lisse et Karam lâchait la bride à sa petite voiture, capote repliée. Paddy aimait sentir le vent s'engouffrer dans ses cheveux. Ils se garaient le long des pistes pour regarder décoller et atterrir les modestes Dakota et les Super-Constellation imposants.

Ils achetaient des boissons fraîches aux marchands ambulants. Karam prenait un Coca, Paddy préférait la limonade, vendue dans une bouteille dont il fallait frapper le cul d'un coup sec pour libérer le liquide et ses bulles, car une bille de verre obstruait le goulot. Ils se parlaient, tout à leur fascination réciproque, toujours curieux d'en savoir plus l'un sur l'autre, de connaître ses histoires, ses proches, ses goûts et ses aversions, ses espoirs et ses rêves, conscients d'avoir trouvé l'âme sœur.

– Pourquoi m'a-t-il fallu si longtemps pour te découvrir ? Où étais-tu pendant toute ma vie d'avant ? se demandait Karam à voix haute.

L'existence de Paddy, protégée comme celle de toutes les jeunes filles, avait été évidemment beaucoup moins riche que celle de Karam et elle n'avait pas grand-chose à raconter, bien qu'il adorât l'entendre parler de sa famille, d'Ayah et d'Apurru, de ses amis et de son travail. Elle l'avait emmené un jour à St Thomas entre deux messes, surprise de voir qu'il était au fait du protocole de l'Église. Elle avait oublié, l'espace d'un instant, qu'il avait passé ses années d'école en Angleterre.

Elle parlait peu de son père, connaissant ses sentiments envers les Indiens, qu'il exprimait souvent sans ambages. Karam était tout aussi peu disert en ce qui concernait ses parents, sachant trop bien de quel œil désapprobateur ils voyaient « ces bâtards d'Anglo-Indiens, sans plus de pedigree qu'un chien errant ». Pour un peu, il aurait cru entendre son élégante mère, en jodhpurs ou sari de soie, parée du fabuleux rang de perles hérité de sa mère, partir d'un rire étincelant et déclarer : « Mon cher enfant, personne ne tombe amoureux de ces femmes-là ; elles sont tout juste bonnes pour une passade, et encore... » Et il la voyait hausser les épaules avec dédain.

Paddy aimait l'entendre parler de son enfance, de ses courses débridées, pistolet à air comprimé en main, à travers le domaine paternel de Bikaner ou par les champs cultivés de Nawabjung où vivait la famille de sa mère, entre Lucknow et Kanpur, dans ce qui s'appelait encore les « Provinces Unies ».

Il racontait ses vacances d'été à Mussoorie, la perle des stations d'altitude, où son père possédait une maison, et lui peignait une enfance peuplée de chiens et de chevaux, occupée à marcher dans la nature, à pêcher, à tirer les canards et à chasser le sanglier. Paddy, qui ne connaissait que la vie des villes, l'écoutait, subjuguée. Il la faisait rire avec les anecdotes de ses années d'école en Angleterre, où il avait été envoyé à onze ans afin de se « former le caractère », selon les termes de son père, et des amis qu'il s'y était faits. On le forçait, comme tous ses condisciples, à écrire chaque semaine à sa famille. C'était de là, précisait-il au grand amusement de Paddy, qu'il tenait l'habitude d'appeler ses parents Pater et Mater.

Fils unique, il avait dû revenir au moment où la santé de son père commençait à décliner. À présent, ce dernier ne quittait pour ainsi dire plus le lit et la charge de gérer les destinées de la famille était passée entre les mains de Karam. Il habitait un petit studio à Humayun Court, près du cinéma New Empire, mais ce n'était qu'un *pied-à-terre*, avait-il dit à Paddy, car il lui fallait perpétuellement retourner s'occuper de ses domaines, bien qu'il ne manquât pas de régisseurs sur place pour traiter les affaires courantes et lui faire des rapports.

– Il va falloir que je parte bientôt, dit-il ce soir-là.

– Que tu partes ?

La poigne de l'angoisse s'était refermée sur Paddy.

– Oh, Karam, ne dis pas ça ! Quand ? Pour combien de temps vas-tu partir ?

– Chut, calme-toi, dit-il en la serrant contre lui et en lui caressant les cheveux. Crois-tu que cela m'amuse, maintenant que je t'ai trouvée ? Je reviendrai très vite. Tu ne t'en rendras même pas compte, tu verras. Une nuit en train, deux ou trois jours là-bas, et je serai de nouveau près de toi, rapide comme l'éclair ! C'est du gâteau.

Paddy sourit, amusée par les expressions qu'il employait.

– Du gâteau..., répéta-t-elle en dégustant les syllabes. Mais tu reviendras pour mon anniversaire, hein, c'est promis ?

– Promis, promis, promis, dit Karam en déposant un baiser aérien, entre chaque répétition, sur chacun de ses sourcils et à la pointe de son nez. Rien au monde ne pourra me retenir.

Paddy avait dix-huit ans depuis déjà deux semaines, mais les deux sœurs voulaient fêter leurs anniversaires respectifs ensemble et la réception devait avoir lieu une quinzaine de jours plus tard, entre leurs deux dates de naissance. Les cartons d'invitation étaient à l'impression ; le menu avait été réservé au D.I. ainsi que la prestation d'un orchestre. Les festivités se dérouleraient un dimanche, afin que les nouveaux amis de Shirley, membres de l'ensemble de Benny, puissent y participer.

Le jour de l'anniversaire de Paddy, Shirley avait demandé sa soirée à Benny pour dîner en famille au Waldorf de Park Street, le restaurant chinois favori de sa cadette.

Grace lui avait offert une paire de joncs en or et Robert, une chaîne de cou en or avec un pendentif en perle. C'étaient les premiers « vrais » bijoux que Paddy avait jamais possédés. Shirley lui avait fait confectionner par la maison de couture A la Mode une sublime robe de soie dorée que Paddy avait décidé de porter à leur soirée commune. Apurru lui avait apporté une énorme ration de son merveilleux caramel au coco et Ayah s'était engouffrée avec elle dans un rickshaw, destination Rightways, la librairie du coin d'Elliott Road et de Wellesley Street, afin qu'elle y choisisse un livre à son goût. Paddy avait jeté son dévolu sur l'imposant volume de *1001 Quiz Questions*, cette mine d'informations, et avait serré Ayah dans ses bras. Comme la nounou ne savait pas écrire, c'était la jeune fille qui avait rédigé de sa propre main en page de garde : « À Paddy *baba*, avec toute l'affection de son Ayah. Joyeux anniversaire ! » Ayah avait admiré le gribouillis puis, après s'être soigneusement essuyé les lèvres à l'aide du pan de son sari, elle avait posé un baiser sur la joue de la jeune fille en disant :

— Paddy *baba*, ma lumière, ma petite à moi, qu'Allah te bénisse et te garde de tout mal.

Karam avait retrouvé Paddy à la sortie de son travail comme d'habitude et l'avait emmenée dîner au Magnolia, le restaurant de Park Street qu'ils aimaient tous deux parce que c'était là qu'ils avaient mangé pour la première fois ensemble.

Une fois assis dans leur box préféré, Karam avait sorti d'un grand sac en papier deux paquets à l'emballage éclatant. Paddy était d'abord restée sans voix en ouvrant le premier. C'était un parfum coûteux, plus coûteux que tous les flacons de sa mère. Blue Grass, d'Elizabeth Arden ! Elle avait dévissé le bouchon doré et inspiré avec délice :

— Oh, Karam, c'est merveilleux ! s'était-elle exclamée en lui souriant. Mais c'est beaucoup trop cher !

— Au diable la dépense ! avait souri Karam en retour. Es-tu sûre de l'aimer ? Je ne connais rien aux parfums, alors j'ai demandé à ma sœur de me dire quel était le meilleur et elle a nommé celui-ci. Il te plaît, vrai de vrai ? Franchement ?

Paddy lui avait assuré que oui.

— Alors ouvre l'autre paquet, avait-il dit, soulagé.

Paddy avait soigneusement ôté le ruban adhésif, puis démailloté le cadeau de son emballage. C'était un sari de soie bleu. Elle avait caressé du doigt l'étoffe somptueuse en murmurant : « Comme c'est beau. »

— C'est ma couleur préférée, et j'aimerais te voir le porter un jour. Tu le mettras ? Pour moi ?

Paddy avait levé les yeux sur lui et dit tranquillement :

– J'aimerais le porter pour toi. J'aimerais le porter pour moi aussi, mais mon père...

Comment aurait-elle pu lui expliquer l'aversion de son père pour ce qu'il appelait « la tenue autochtone » ?

Pour de grandes occasions – pour le réveillon de la Saint-Sylvestre, par exemple, certaines épouses et filles de membres du D.I. s'habillaient de saris qui les métamorphosaient, selon les femmes de la maison Ryan, en créatures splendides. Robert, lui, les trouvait affreuses et militait avec insistance pour un nouveau code vestimentaire qui eût interdit le port de tout vêtement indien dans l'enceinte du D.I.

Karam avait paru deviner le dilemme dans lequel il avait plongé Paddy.

– Donne-le-moi, princesse. Je demanderai à ma sœur de faire confectionner un corsage et tout ce qui est censé aller avec. Elle est à peu près de ta taille, cela devrait t'aller. Et un jour, quand tu viendras chez moi, tu l'essaieras. Ce sera un défilé de mode juste pour nous deux. Maintenant, mange tranquillement ta glace. Joyeux anniversaire !

Paddy ne l'avait jamais aimé si fort.

Karam aimait taquiner Paddy au sujet de la première fois qu'il lui avait demandé de sortir avec elle, le lendemain de leur rencontre au Prince. Il l'avait attendue longtemps devant l'hôtel des ventes, ne sachant à quel moment elle allait en émerger. Pour l'heure, peut-être était-ce la pensée de l'anniversaire de Paddy qui lui ramenait ce souvenir à l'esprit.

Il l'avait invitée au Magnolia et, à sa surprise, elle avait commandé un café noir. Dès qu'elle y avait trempé ses lèvres, elle avait eu peine à masquer son dégoût, grimaçant à chaque gorgée. « Tu ne le trouves pas bon ? avait-il demandé. Tu veux autre chose ? » Il avait réprimé un rire quand elle lui avait confessé avoir envie d'une glace. Il avait aussitôt demandé au serveur de remporter le café et de lui servir la Knickerbocker Glory énorme, crémeuse et fondante qui faisait la réputation du restaurant. Paddy avait dégusté son dessert dans un ravissement sans mélange jusqu'à la dernière bouchée et terminé en léchant la cuiller pour faire bonne mesure.

— Tu te rappelles notre première fois au Magnolia ? lui demanda-t-il tandis qu'ils partageaient un dernier Coca, assis dans la voiture avant de prendre le chemin du retour. « Un café noir, s'il vous plaît ! » Bigre ! Pour une surprise, c'en était une !

— Je sais, répondit Paddy en riant, encore un peu gênée à ce souvenir. C'était idiot, non ? Je tenais tellement à t'impressionner ! Et Chrissie, au bureau, n'arrêtait pas de me répéter que les femmes raffinées commandent toujours du café noir, que seuls les enfants mangent des glaces.

Karam prit sa main dans la sienne et lui baisa la paume.

— Ma petite merveille raffinée, dit-il. À quatre-vingts ans, tu mangeras encore des Knickerbocker Glory. Pourquoi te soucies-tu des inepties que débite cette Chrissie ?

21

Le 15 août

ROBERT, comme chaque fois qu'il sortait du sommeil, ouvrit les yeux et tourna aussitôt la tête vers Grace. Réveillée, elle le regardait. Elle tendit une main hésitante, frôla ses doigts du bout des siens, appréhendant l'humeur dans laquelle il allait entamer ce 15 août, cette journée pas comme les autres.

— Aujourd'hui est un jour férié, dit-elle, mais nous avons beaucoup à faire, Dormeur !

— Bon Dieu, c'est vrai, grommela-t-il. C'est l'anniversaire de leur maudite Indépendance !

Chaque 15 août depuis douze ans, Robert arborait un air morne et grognon. L'Indépendance avait transformé la vie de tous les habitants de l'Inde et fait basculer celle de Robert Ryan et de tous les Anglo-Indiens dans une ornière. Après avoir été des sujets britanniques et s'être pris pour des Anglais, ils se découvraient brusquement citoyens indiens, méprisés et raillés par bon nombre de leurs compatriotes actuels, ceux-là mêmes sur lesquels ils avaient exercé leur pouvoir durant le Raj.

Voyant Grace sur la défensive, l'air crispé, Robert éprouva la morsure du remords. Pourquoi aurait-il fallu qu'elle subisse sa mauvaise humeur ? Elle n'était pour rien dans le tour que leur avait joué l'histoire du pays. Il lui sourit.

— Eh bien, au moins, je n'ai pas à me rendre au bureau. Il faut savoir se contenter de petits bonheurs, dit-il en s'efforçant à la gaieté.

Grace, soulagée, lui rendit son sourire.

— Tu te rappelles comment les enfants se précipitaient pour hisser le drapeau, à l'école ? demanda-t-elle pour achever de le dérider.

Mis en joie par ce souvenir, Robert était à présent tout sourire. Cette journée avait tout de même de bons côtés. Shirley et Paddy avaient adoré participer aux célébrations du 15 août lorsqu'elles allaient à l'école. Défiler au pas dans la cour, l'air sérieux et important, exécuter des manœuvres complexes jusqu'au moment où elles se retrouvaient autour du grand mât, à frapper le sol des pieds en cadence — à « battre la mesure », selon leurs propres termes. Puis l'élue franchissait en quelques enjambées martiales la distance qui la séparait du mât et hissait les couleurs de l'Inde. Un bien triste oripeau que ce drapeau, se dit Robert, comparé au glorieux Union Jack. Puis elles chantaient en chœur un hymne composé à coup sûr pour l'occasion par une religieuse au zèle déplacé.

— Ce chant qu'elles entonnaient, c'était quoi, déjà ? demanda-t-il à Grace, beaucoup plus musicienne que lui.

Grace s'exécuta sans se faire prier :

Pour célébrer ce premier matin
De liberté, ensemble vers Dieu,
Élevons nos jeunes cœurs
Reconnaissants. Loué soit-Il !...

Elle s'interrompit.

– J'ai oublié la suite. Il y en avait toute une tartine ! Les filles s'en souviennent sûrement mieux que moi.

– Penses-tu ! Tout ce qu'elles se rappellent, ce sont les beignets poisseux et les sucres d'orge que les sœurs leur distribuaient à la fin de la cérémonie, s'esclaffa Robert. Allez, debout, Gracie. Il est temps de mettre ce grand projet d'anniversaire sur les rails.

Après le petit déjeuner, une fois la table débarrassée, Robert distribua les cartons d'invitation retirés la veille chez l'imprimeur.

– Tout le monde à son poste, appela-t-il. Vous avez vos listes d'invités ?

Les trois femmes admiraient les bristols blancs et raides, dorés sur tranche, qui proclamaient en lettres d'or dans une calligraphie élégante :

M. et Mme Robert Ryan
ont le plaisir de solliciter votre compagnie
le dimanche 4 septembre
pour un dîner dansant
afin de célébrer
le 21e anniversaire
de Shirley,
leur fille aînée,
et
le 18e anniversaire
de Paddy,
leur cadette.

Un premier brouillon l'avait dénommée « Patricia », mais l'intéressée avait objecté que personne ne l'appelait ainsi et qu'elle-même ne se reconnaissait pas sous ce nom, et « Paddy » l'avait emporté.

– C'est Maman qui a la plus belle écriture, c'est donc elle qui libellera les enveloppes, décréta Robert. Paddy, tu inscriras tous les noms dans ce vieux cahier. Trace deux colonnes à leur droite, une pour « accepte », l'autre pour « décline », afin de savoir combien nous aurons de convives. Il faudra penser à cocher la bonne case chaque fois que nous recevrons une réponse. Et toi, Shirl, ma perle, sourit-il en s'adressant à sa fille aînée qui attendait ses instructions, tu mettras les cartons sous enveloppe, sans oublier de glisser le rabat à l'intérieur.

– Et toi, Papa ? demanda Paddy en riant, qu'est-ce qui te reste à faire ?

– Pas d'insolence, mademoiselle, répondit Robert en lui tapotant la joue du bout du doigt, un grand sourire aux lèvres. En bon chef de famille, je me tournerai les pouces pendant que mes femmes esclaves s'échinent. De plus, c'est moi qui aurai la charge d'aller poster tout ça demain, non ? Sauf le carton de Mr Wilson, que je lui remettrai en main propre.

Grace balaya la tablée d'un regard heureux, puis elle leva des yeux reconnaissants vers le Sacré-Cœur de Jésus et le remercia intérieurement. De tels moments – la famille réunie dans son foyer, goûtant le bonheur d'être ensemble – étaient précieux.

Ce fut de courte durée.

– Dites-moi, qui est ce Karambir Singh qui figure sur ta liste, Paddy ? demanda Robert, perplexe. Il faudra l'enlever.

– Pourquoi donc ? réagit vivement Paddy. C'est un de mes amis, et Shirley le connaît aussi. D'ailleurs, je l'ai déjà invité !

– C'est impossible, Paddy, dit Robert gentiment. Il est indien, n'est-ce pas ?

Paddy acquiesça de la tête et il poursuivit :

– Dans ce cas, il n'est pas admis dans l'enceinte du D.I. Tu n'aurais pas dû lui en parler, mais s'il ne reçoit pas de carton de confirmation, il oubliera peut-être.

– Quoi ? bondit Paddy. Il n'oubliera pas, je ne veux pas qu'il oublie ! Et d'abord, quand tu dis qu'il n'est pas admis au D.I., qu'est-ce que ça signifie ?

Son regard éperdu se posa sur Grace :

– Maman, pourquoi est-ce que Papa est si mesquin ?

Puis, sans attendre la réponse, elle se tourna vers lui :

– Je parie que cette règle n'existe pas, c'est toi qui viens de l'inventer !

Peu à peu, la colère était montée à la tête de Robert comme à celle de sa fille.

– Ah, ça ! Comment oses-tu ? Fais bien attention à ce que tu dis, ma petite fille. Évidemment qu'elle existe, cette règle, et c'est heureux. Tous ces autochtones noirs et puants...

– « Noirs ! noirs ! » l'interrompit Paddy, les larmes aux yeux, le visage convulsé de rage. C'est tout ce que tu sais dire ! Eh bien, pour ta gouverne, sache que Karam est plus blanc que moi – et même que toi –, si tu veux savoir ! Alors ta soirée idiote, tu la passeras sans moi !

Secouée de sanglots, elle se rua hors de la pièce et ils entendirent la porte de sa chambre claquer derrière elle.

Shirley darda sur son père un regard lourd de reproche et se leva pour rejoindre Paddy.

– Paddy, c'est moi, dit-elle en frappant quelques coups légers avant d'entrer et de refermer fermement la porte sur elle.

– On a presque tout fait, dit Grace en rassemblant cartons et enveloppes. Je finirai plus tard.

Robert, assis la tête dans ses mains, évitait son regard.

– Qu'est-ce qui s'est passé, Grace ? dit-il d'une voix étouffée qui s'étranglait à mesure qu'il parlait. Il y a deux minutes, on était heureux tous les quatre et brusquement...

Il tendit la main à l'aveugle dans sa direction. Elle la saisit entre les siennes et la caressa avec douceur.

– Est-ce que ça vient de moi ? Est-ce que je suis un mauvais père ? Je les aime tant, toutes les deux. Je fais de mon mieux, mais...

Il secoua la tête comme pour dissiper un épais brouillard.

Grace porta la main de Robert à sa joue.

– Pour ça, non, Robert, je t'en prie, regarde-moi. Tu es le meilleur père que nos filles auraient pu espérer... et le meilleur mari, aussi, poursuivit-elle, les yeux rivés aux siens. J'ai beaucoup de chance d'être ta femme, tu sais, tout comme tes filles de t'avoir pour père. C'est juste qu'elles ont grandi et qu'elles découvrent les souffrances de la vie d'adulte. Tout ira bien, je te le promets.

Elle se leva et, lui pressant légèrement la main, reprit :

– Tu sais quoi ? Allons déjeuner ensemble au D.I. On décidera des boissons, des guirlandes de lumières et des autres détails de la soirée des filles. Tu prendras une bière bien fraîche et moi un panaché.

— Impossible, répondit Robert qui se levait en se frottant les yeux. C'est un jour sans alcool, tu te rappelles ? N'importe quel pays sain d'esprit célébrerait son Indépendance au champagne. Au lieu de ça, ces enfoirés d'Indiens vous imposent leurs restrictions de bigots à tout bout de champ. Typique ! Et les filles, on les laisserait toutes seules ici, avec Paddy dans cet état ?

— Ne t'inquiète pas pour elles. Ayah a laissé du poulet cuit au frigo avant de prendre sa journée. Et on peut compter sur Shirley pour parler à Paddy. En fait, il vaut mieux que ce soit elle. Paddy est son « bébé », tu sais bien.

Un petit sourire filtra à travers la tristesse sur les traits de Robert. Oui, il se rappelait. Lorsqu'il avait ramené Grace de la maternité avec le nourrisson d'une semaine, Shirley, trois ans, avait supplié qu'on lui permette de le tenir. Grace avait hésité, mais Robert avait fait asseoir Shirley en tailleur sur son lit, loin du bord, et déposé le poupon sur les genoux de la petite fille. Celle-ci, levant un doigt devant elle à tout hasard, émerveillée de voir Paddy le saisir d'une poigne ferme, avait levé un visage radieux vers ses parents et déclaré : « Bébé à Shirley. »

La suite l'avait prouvé. Du moment où elle s'était tenue, titubante, sur ses deux jambes, Paddy avait suivi Shirley partout. Les rôles s'étaient inversés plus tard dans leur enfance, quand Paddy était devenue la plus intrépide des deux.

∾

Grace avait donné un jour de congé à Ayah à l'occasion de l'anniversaire de l'Indépendance.

– Tout le monde est en congé ce jour-là, pourquoi pas elle ? avait-elle expliqué à Robert en le voyant lever un sourcil interrogateur. Et comme le restaurant d'Apurru est fermé jusqu'à ce soir, ils envisagent de rendre visite à un de ses amis.

– Oui, oui, bien sûr, avait promptement répondu Robert. À ta guise, Gracie. Et Ayah mérite bien tout ce qu'on peut lui donner, pour sûr. C'est un vrai trésor. On a de la chance de les avoir, elle et Apurru.

Ayah, vêtue du sari de soie vert que Paddy lui avait offert, s'était assise dans le rickshaw de Gosain à côté de son époux en *kurta* de soie fine, en route pour Elliott Road où ils devaient prendre le tram à destination de Park Circus.

C'était, à l'extrémité délabrée de Park Street, un quartier musulman où s'entassaient les mosquées et les petits restaurants bondés qui servaient les meilleurs *biryani* de la ville, mitonnés comme seuls savaient le faire les cuisiniers musulmans, et de sublimes côtelettes de mouton.

Pendant le trajet en tram, Apurru expliqua à son épouse que l'homme chez qui ils se rendaient était Yusuf Razzak, le partenaire avec qui il prévoyait de s'associer à Chittagong. Yusuf, qui travaillait dans une tannerie quelque part en banlieue, était lui aussi en congé ce jour-là. C'était le moment idéal pour qu'ils discutent ensemble et pour que leurs épouses fassent connaissance.

La famille de Yusuf occupait un deux-pièces à Park Circus, dans un grand immeuble qui avait connu des jours meilleurs, converti en un labyrinthe de logements exigus et insalubres, avec des toilettes communes sur le palier. Après avoir monté les trois étages en soufflant comme un bœuf alors qu'Apurru, sec et mince, l'avait distancée sans difficulté, Ayah fit signe à son mari d'attendre un moment devant la porte de son ami qu'elle se soit couvert la tête et la plus grande partie du visage, comme toute bonne croyante, à l'aide du pan de son sari.

Yusuf Razzak les accueillit en souriant :

– *Salaam aleikum*, Jafar *bhaï*, dit-il en donnant du « frère » à Apurru, qui lui rendit poliment son salut :

– *Waleikum salaam*, Yusuf *bhaï*.

Ils échangèrent la triple accolade traditionnelle, ignorant complètement Ayah qui ne fut ni saluée par leur hôte ni présentée par son mari. Debout près de la porte, elle ne savait trop que faire tandis que les hommes s'asseyaient sur un divan et que Yusuf criait :

– Le thé !

Une fillette de huit ans tout au plus apparut avec deux gobelets remplis à mi-hauteur et déposa le plateau sur une table basse devant le divan. Puis elle s'approcha d'Ayah et lui dit avec un sourire timide :

– Entrez, je vous en prie. Ma mère vous attend.

Ayah suivit l'enfant dans la pièce du fond, séparée de l'autre par un rideau malpropre. Elle y trouva, assise sur un matelas déroulé à même le sol, une fort jolie femme en *burqa* pourpre, le voile relevé découvrant son visage.

– *Salaam aleikum*, ma sœur. Je m'appelle Fawzia, dit-elle en tapotant l'espace à côté d'elle pour indiquer à Ayah qu'elle pouvait s'asseoir.

Leur visite terminée, Ayah reprit le chemin de Sharif Lane avec des émotions mitigées. Elle avait quitté son village des environs de Chittagong plus de vingt-cinq ans auparavant et oublié à quel point les attitudes des musulmans envers les femmes étaient sévères. Chez les Ryan, elle s'était accoutumée à la considération qu'on accordait à sa personne, une personne dont Mem Saab, tout comme les *baba-log*, écoutait les avis et que Saab traitait avec une courtoisie confinant à la déférence.

Elle n'était pas une mauvaise musulmane, ça, non, affirma-t-elle à Apurru. Bien au contraire. Elle récitait ses prières quotidiennes, peut-être pas toujours cinq fois par jour, mais au moins une. Elle célébrait les deux Aïd avec ferveur, et exprimait une contrition adéquate le jour de Muharram, à la commémoration de la mort du petit-fils du Prophète (paix sur lui), assassiné traîtreusement. Toutefois – et c'est là que le bât blessait –, être ignorée dans son propre foyer comme l'était Fawzia, y recevoir des ordres, devoir disparaître sous une *burqa*, et manger les restes après les hommes comme un chien, alors qu'ils avaient toujours partagé leurs repas, elle et lui, en convives, non, non, c'était trop lui demander !

– Je ne crois pas que j'ai envie de retourner vivre à Chittagong, dit-elle à Apurru sur le chemin du retour. Pas si ma vie doit ressembler à celle de Fawzia.

Par cette soirée d'août, moite et étouffante, elle se découvrit la tête et rejeta le pan de son sari par-dessus son épaule, soulagée de revenir au confort de son vêtement ordinaire. Elle éprouva avec bonheur la fraîcheur de l'air qui soufflait sur son front, son cou et ses épaules par la fenêtre ouverte du tram lancé à bonne vitesse.

– Fawzia est gentille, mais tout de même, dit-elle en s'éventant vigoureusement à l'aide d'un journal abandonné sur le siège voisin alors que le tram s'arrêtait, quelle triste façon de célébrer l'Indépendance !

Apurru resta silencieux un long moment avant de répondre d'un ton grave :

– Ce n'est pas notre Indépendance, Sohagi. Ce n'est plus notre pays, ne l'oublie pas.

22

Rîla

L'APRÈS-MIDI touchait à sa fin et le soleil s'était retiré du coin de jardin de Ballygunge où se tenait le portique de la grande balançoire en fer forgé. Rîla et sa sœur cadette étaient assises sur les coussins, jambes repliées et mâchonnant des chiques de bétel emplies de toutes sortes d'ingrédients aromatiques que l'aînée tirait d'une boîte en argent. La benjamine, elle, était à sa leçon de musique. Toute jeune Bengalie digne de ce nom devait savoir chanter les chants composés – mélodie et paroles – par Rabindranath Tagore, le poète et seul prix Nobel de l'Inde, en s'accompagnant à l'harmonium.

Un exemplaire du condensé annuel d'*Ananda Bazaar Patrika* était ouvert entre elles. Cet ouvrage épais de format tabloïd, dont la parution avant les vacances de Durga Pûja était attendue avec impatience, était un vivier d'histoires, de bandes dessinées et de poèmes en bengali. Les deux sœurs prenaient plaisir à s'en lire des extraits à tour de rôle.

Cependant, pour Rîla, le moment était venu de parler de choses sérieuses.

– Écoute, Tuktuk, commença-t-elle en s'adressant à Sharmila par le surnom sous lequel on la désignait à la maison. J'ai quelque chose à te dire. Mais si jamais tu le répètes, tu sais ce qui risque de t'arriver…

Les yeux de sa cadette s'arrondirent de curiosité. Elle adorait les secrets, et ceux de son aînée étaient les plus croustillants de tous. Comme elles riaient en évoquant Subhadra, l'épouse insipide et squelettique de Benu *mama*, qui allait, la face plâtrée d'Afghan Snow pour tenter de paraître plus claire de peau ! Il fallait pourtant être aveugle pour ne pas voir que son mari ne regardait jamais dans sa direction et n'avait d'yeux que pour l'aînée de ses nièces. Ou encore s'appeler Ronen-*da*, le mari raide et formel de Babli, qui semblait ne jamais rien voir – d'ailleurs c'était aussi bien comme ça.

Quel scandale, s'il avait su la moitié de ce qu'elle savait ! Oh, Ma, pas plus loin que la semaine précédente, Babli ne lui avait-elle pas raconté qu'elle avait laissé Benu *mama* lui tripoter les seins derrière la porte d'une armoire !

– Le pauvre, s'était esclaffée Rîla, bouche grand ouverte et les lèvres luisantes, rouges de bétel. Il haletait comme un chien derrière moi, il grognait, il gémissait, alors je l'ai laissé faire. Et que je te les triture, et que je te les frotte ! Tu aurais vu mes mamelons ! Des prunes séchées ! Ils pointaient tout droit sur des kilomètres, jusqu'à Bombay ! Il voulait les sucer, mais j'ai dit « non, une prochaine fois », et je me suis échappée juste à temps avant que Papa entre dans la pièce ! Je ne sais pas comment ce pauvre Benu *mama* a fait pour marcher, avec son machin gros comme une courge entre les jambes !

Et voilà qu'un nouveau secret s'annonçait ! Tuktuk en salivait d'impatience.

– Tu sais que tu peux tout me dire, Babli, dit-elle gravement. Je ne répèterai jamais rien à qui que ce soit. Je le jure sur l'âme de notre défunte mère !

– Laisse notre défunte mère là où elle est, commanda Rîla en lui pinçant méchamment le bras. Si tu rapportes mes secrets, je dirai à Baba de ne pas te marier avant au moins cinq ans. D'ici là, tu seras devenue une horrible vieille fille, racornie, puante, vidée de tous ses sucs, que personne ne regardera plus, encore moins en pensant au mariage.

C'était une menace terrifiante que Rîla était parfaitement capable de mettre à exécution. Depuis la mort de leur mère, elle avait pris la tête de la maisonnée. Tous les domestiques, ainsi que ses deux sœurs, s'étaient accoutumées à soumettre leurs initiatives à son aval et à suivre ses instructions. Son père, qui la consultait sur les affaires de la fratrie, se laissait influencer par ses opinions. Pour Tuktuk, la situation dont l'avait menacée Rîla aurait été plus pénible que la mort. Elle languissait de se marier, d'être initiée à tous les plaisirs dont son aînée semblait jouir avec une telle intensité. Elle frotta son bras douloureux sans une plainte.

– Oh, je t'en prie, plaida-t-elle, dis-moi ton secret ! Je ne dirai jamais rien à qui que ce soit. Je le jure sur tout ce que tu voudras. S'il te plaît, Babli, s'il te plaît !

Rîla la regarda d'un air inquisiteur puis parut avoir pris une décision.

– Très bien, dit-elle, alors regarde ça.

Elle tira d'entre ses seins une chaîne d'argent au bout de laquelle pendait un petit médaillon d'argent brillant en forme de cœur.

Tuktuk prit le bijou encore tout chaud de son contact avec le corps de Rîla. Quel secret pouvait bien renfermer cet objet ? Elle leva un regard interrogateur sur son aînée.

– Qu'est-ce que j'ai fait pour avoir une sœur aussi débile ! Ouvre-le, idiote !

Tuktuk fit jouer le fermoir et le boîtier s'ouvrit, révélant une petite photo de Ronen.

– Qu'est-ce que c'est ? demanda-t-elle. Un cadeau que tu vas faire à ton mari pour son anniversaire ou un truc du même genre ?

– « Pour l'anniversaire de ton mari ! » railla Rîla en imitant le ton de Tuktuk. Sûrement pas. Regarde dans quoi il est arrivé.

Elle tira de son décolleté une enveloppe par avion bleu clair, reconnaissable à sa bordure de lignes diagonales bleu foncé et rouges, adressée à Ronnie Mukherjî, 6, Ballygunge Road, Calcutta, India, puis déplia le feuillet qui se trouvait à l'intérieur.

Les deux sœurs penchèrent la tête et se mirent à lire les mots anglais à l'unisson, déchiffrant avec peine l'écriture étrange, si différente de la cursive qu'elles avaient eu tant de mal à apprendre à la Beltala Girls High School, l'une des meilleures écoles bengalies de Calcutta.

La lettre était brève :

Cher Ronnie, je t'ai écrit de nombreuses lettres sans jamais recevoir de réponse. Cela fait plus d'un an que tu es parti et je n'ai aucune nouvelle de toi. C'est pourquoi je te demande de reprendre le médaillon que tu m'as donné. Avec mon meilleur souvenir.

Peggy.

Tuktuk leva sur Rîla des yeux écarquillés. Peggy, Ronnie, elle n'y comprenait rien. Peggy, c'était un nom de femme ? Se pouvait-il que Ronen*da* ait eu une femme en Angleterre ?

Rîla riboula des yeux d'exaspération.

— Évidemment ! éclata-t-elle, exaspérée. Tu es vraiment trop stupide, Tuktuk ! J'aurais bien voulu lire les autres lettres qu'elle lui a écrites, mais ce crétin de gardien dit qu'il les a brûlées, poursuivit-elle, et ses yeux n'étaient plus que des fentes. Si j'ai eu accès à celle-ci, c'est parce qu'il a cru qu'elle contenait un objet de valeur et qu'il voulait me la remettre contre un peu d'argent. En fait, il a pris ma sandale à travers la figure et je lui ai arraché l'enveloppe. Bon, maintenant, voilà ce que tu vas faire. Prends ce bijou — comment dit-on déjà... Ah oui, ce « médaillon » —, et porte-le à Mangala. Dis-lui que c'est moi qui le lui envoie et qu'elle doit le porter tout le temps.

Mangala, la *jhî* de la maison paternelle qui avait élevé les trois sœurs, avait un faible, comme tout le monde, pour Rîla.

— Comme ça, si j'en ai besoin, je pourrai le récupérer ; il faut parfois tenir la bride à son mari, comme tu l'apprendras un jour. Je ne peux pas le garder ici, évidemment, avec Radha et Pingola, ces vieilles biques racornies qui fourrent leur nez partout, continua-t-elle avec un rire de dérision. Ces deux-là, elles n'arrêtent pas de me surveiller en tordant la bouche comme si elles venaient de mâcher un citron !

– Mais Ronen*da*, tu crois qu'il a encore des sentiments pour cette Peggy ?

– Des sentiments ? Quels sentiments ? s'esclaffa Rîla en se passant la langue sur la lèvre inférieure. C'est de *sensations* qu'il a besoin, moi je le sais, comme Benu *mama* ! Alors je prends soin de lui en fournir à satiété, et même plus. Les hommes sont vraiment trop naïfs !

Tuktuk posa sur sa sœur un regard d'admiration. Babli était extraordinaire. Rien ne lui semblait impossible.

23

Paddy

CHRISSIE avait déjà recouvert sa machine à écrire de son capot et s'apprêtait à partir.

— Pourquoi traînes-tu comme ça, aujourd'hui, Paddy, toi qui es toujours la première à t'en aller à cinq heures tapantes ?

Paddy leva les yeux vers la pendule accrochée au-dessus de son bureau. Si seulement le temps avait pu s'arrêter ! Mais non, il filait, l'aiguille des minutes venait de quitter la position verticale. Marmonnant un prétexte au sujet du travail, elle rangea son bureau à contrecœur, prit son sac et, avec un « Bonsoir, tout le monde », sortit discrètement, terrifiée à l'idée de retrouver Karam. Elle aurait voulu se trouver à des milliers de kilomètres de là.

Elle sortit de l'immeuble à pas lents et tourna un peu plus loin dans Middleton Street. Le petit coupé bleu était garé à sa place habituelle où Karam, appuyé contre la portière, l'attendait. Aussitôt qu'il l'aperçut, son visage s'éclaira d'un sourire et il fut auprès d'elle en quelques enjambées.

— Tu m'as manqué toute la journée d'hier, princesse, lui dit-il en l'embrassant sur la joue. Je n'en pouvais plus d'attendre…

À la vue du visage de Paddy, terne et comme drainé de son sang, il s'interrompit, inquiet, et reprit :

– Quelque chose ne va pas, ma chérie ? Tu ne te sens pas bien ?

La tendresse qui imprégnait ses paroles eut raison des résistances de Paddy. Elle éclata en sanglots si violents qu'ils l'empêchaient de parler.

Désolé, Karam la fit monter en voiture, lui caressa la nuque et les cheveux en lui murmurant des mots apaisants.

– Ne pleure pas, mon amour, calme-toi. Dis-moi ce qui t'arrive et je te promets que je chasserai ton chagrin. Allons, ne pleure pas, chérie, je t'en prie. Parle-moi.

Plus il se montrait aimant, plus Paddy pleurait et lorsqu'il voulut la serrer contre lui, elle se contracta et le repoussa, convaincue qu'il ne voudrait plus jamais la voir après avoir entendu ce qu'elle avait à lui dire.

Enfin, quand elle se fut un peu calmée, elle leva la tête et vit qu'il la regardait d'un air soucieux et presque inquiet. Il lui tendit son mouchoir en silence. Paddy, serrant le sien, tout trempé, dans sa main, le prit et se moucha.

– Je ne sais pas comment te le dire... commença-t-elle.

Et avant que les sanglots ne la suffoquent de nouveau, elle prit une longue inspiration et se lança, aussi brièvement que possible, dans l'exposition neutre et sans commentaire de la situation :

– Tu ne peux pas venir à ma soirée d'anniversaire. Les Indiens ne sont pas admis au D.I. Si j'avais su, j'aurais...

Elle ne put poursuivre, incapable de retenir plus longtemps ses larmes.

Ils restèrent longtemps sans parler. Quand ses pleurs se tarirent, elle se tourna vers Karam. Il regardait, tête baissée, parfaitement immobile, ses mains crispées sur ses genoux, les phalanges blêmes. Lorsque Paddy tendit la main pour déplacer en arrière une petite mèche de ses cheveux qui bouclait devant son oreille, il sursauta comme sous l'effet d'une piqûre et déporta sa tête d'un mouvement vif pour se mettre hors d'atteinte.

– Non ! dit-il sèchement.

Paddy, paralysée de terreur, se tint coite.

Un peu plus tard, Karam remua, se dégourdit les doigts, mit le contact et posa les mains sur le volant.

– Je te raccompagne chez toi, dit-il d'une voix atone sans la regarder.

Paddy sentit qu'on lui arrachait son bonheur. S'ils se séparaient de cette façon, elle redoutait de ne plus jamais le voir. Elle n'avait aucun moyen de le contacter, sachant seulement qu'il habitait Humayun Court. Et s'il retournait vivre dans un de ses domaines ? Elle le perdrait pour toujours, et cette pensée lui était insupportable. La peur lui dictait de parler.

– Attends, pourquoi n'irait-on pas quelque part, comme on le fait d'habitude ? demanda-t-elle en scrutant son profil.

À ces mots, il tourna vers elle le regard qu'il avait délibérément axé sur la route et son expression tendue serra le cœur de Paddy.

– Aller où ? répondit-il calmement. Je ne te demande pas de choisir entre Dum Dum et le Strand, je veux dire, où pouvons-nous réellement aller tous les deux, toi et moi ? Nous appartenons à deux mondes différents. Du moins, à deux Indes différentes, précisa-t-il dans les soubresauts d'un rire forcé. Ce pays n'a pas son pareil pour séparer ses habitants.

Il démarra le moteur.

— Ce que j'ai vécu ces derniers mois n'aura été qu'un rêve de naïf. J'ai cru, j'ai espéré, mais j'aurais dû savoir. Tu auras une vie meilleure sans moi et moi...

Les mots s'étranglèrent dans sa gorge puis, dans un effort héroïque de gaieté, il reprit avec un sourire forcé :

— Je n'ai plus qu'une envie, rentrer chez moi et m'abandonner à l'affection d'un bon vieux whisky soda. En route.

Paddy, dans une dernière tentative pour sauver l'amour qui l'unissait à cet homme en dépit de tous les obstacles, se glissa près de lui et l'enlaça.

— Oui, en route, mais pas pour Sharif Lane. Je t'accompagne chez toi. Un jour, tu as dit que tu m'inviterais à un défilé de mode privé dans ton appartement, tu te rappelles, Karam ?

24

Le lendemain matin

L'AUBE POIGNAIT à peine quand Paddy s'éveilla, l'esprit agité de pensées turbulentes. Comprenant qu'elle ne pourrait pas se rendormir, elle se renversa sur son oreiller, ramassa le livre qu'elle avait commencé et tenta de se concentrer sur sa lecture. En vain. *Le Pays du dauphin vert*, d'Elizabeth Goudge, qu'elle avait eu tant de mal à lâcher auparavant, lui tombait des mains. Elle resta assise sur son lit, les bras autour de ses jambes pliées, à fixer Shirley qui dormait non loin d'elle en souhaitant qu'elle se réveille. Elle avait tant de choses à lui raconter ! Sa soirée de la veille lui avait apporté les plus grands chamboulements de son existence.

Tout avait si mal commencé ! Tout d'abord, elle s'était sentie malheureuse à l'idée de devoir informer Karam des règles insultantes du D.I., mais après le lui avoir dit, sa peine avait été encore plus grande. Elle n'oublierait jamais combien elle avait souffert, face au visage liquéfié, hagard, de son amoureux et à sa propre peur de le perdre... Le souvenir la fit frémir. Puis elle avait eu cette idée lumineuse de l'accompagner chez lui, et la journée si mal engagée s'était métamorphosée sur le tard en un moment de bonheur inoubliable.

∽

Ils avaient roulé en silence vers Humayun Court, les doigts entrelacés, Paddy serrée contre Karam. Il ne lâchait sa main que pour mieux la reprendre après avoir changé de vitesse. De temps à autre, il se tournait pour la regarder et chaque fois la trouvait les yeux rivés sur lui. Les mots étaient superflus. Ils savaient tous deux qu'ils étaient en train de vivre un tournant capital de leur relation, conscients de ne plus pouvoir faire marche arrière, ni l'un ni l'autre.

Karam avait fait entrer Paddy dans l'appartement silencieux, un peu poussiéreux aussi, car il avait accordé une semaine de congés à Abdul, son cuisinier et valet, afin qu'il puisse célébrer l'Indépendance en famille à Lucknow.

« Mater voulait m'imposer un de nos anciens domestiques de Bikaner, avait raconté Karam à Paddy plusieurs mois auparavant, riant à ce souvenir. Mais j'ai pour ainsi dire grandi avec Abdul. Son père était un de nos jardiniers à Nawabjung, et nous jouions ensemble étant enfants. Il a même probablement été mon meilleur ami avant que j'aille à l'école. En plus, je peux compter sur lui pour me cuire un steak de temps en temps, ce qu'aucun hindou ne ferait, et pour ne pas aller rapporter mes faits et gestes à Mater. »

– Tu veux boire quelque chose ? avait-il demandé à Paddy en se servant une rasade de whisky à une bouteille posée sur le buffet. Il y a de la bière et de la limonade au frigo. Je peux te faire un panaché léger, si tu veux.

– Une limonade, merci, ce sera très bien, avait dit Paddy en se dirigeant vers le combiné radio sur lequel trônaient plusieurs photos de famille. Qui est-ce ?

Karam était revenu de la petite cuisine avec un verre de limonade fraîche alors qu'elle admirait les mots écrits sur une petite plaque en argent appliquée au bas d'un cadre.

– « Dewan Raghavbir Singh », avait-elle lu avant de s'attarder sur le personnage. Quelle allure ! Tenue d'apparat, colliers, ornements et regardez-moi ces pierres précieuses et ces plumes sur son couvre-chef ! Mais il a l'air trop sérieux, il ne devait pas être commode.

– C'est bien vrai, avait dit Karam en prenant le cadre dans sa main. Je te présente mon grand-père sur son trente et un, en route pour aller voir le roi. La photo a été prise juste avant le grand Durbar de 1911 à Delhi. Il y accompagnait le maharaja de Bikaner dont il était un conseiller – d'où son titre de « Dewan ».

– Bigre ! Un titre et tout ce qui va avec ! s'était exclamée Paddy, impressionnée. Tu viens d'une famille drôlement huppée, Karam !

Karam, cependant, avait posé son verre et l'enlaçait si fort qu'elle pouvait à peine respirer.

– Arrête, Paddy, avait-il murmuré. Ne pensons plus à nos familles, à l'histoire, à tout ce qui cherche à nous séparer. Je ne tiens à rien de tout ça. Je te veux, toi et toi seule. Je t'aime, ma chérie, ma belle, ma superbe princesse. Je t'aime plus que n'importe qui d'autre. Dis-moi que tu m'aimes aussi.

Paddy avait plongé son regard dans le sien en disant :

– Oh oui, moi aussi, je t'aime, Karam. De tout mon cœur. Beaucoup plus que je ne saurais le dire.

Et sans plus parler, cramponnés l'un à l'autre comme à une bouée de sauvetage, ils s'étaient retrouvés dans la chambre.

Le souvenir de leur union emplissait encore Paddy de bonheur. Il avait été un amant ardent et si tendre à la fois, si délicat et si aimant que des larmes de joie lui étaient montées aux yeux. Ils avaient fait et refait l'amour, inlassablement, langoureusement, jouissant mutuellement de leurs corps, complètement absorbés l'un en l'autre. Chaque fois, cependant, qu'il était sur le point de perdre tout contrôle, Karam avait pris soin de se retirer.

– Je veux que tu n'aies rien à craindre, ma chérie. Un jour, nous aurons une ribambelle d'enfants, mais pas maintenant.

Plus tard, la raccompagnant, il avait tenu pour la première fois à la déposer devant le portail du 44-A plutôt qu'au bout de Sharif Lane.

– Tu es à moi, désormais, s'en était-il expliqué, et je veux que le monde entier le sache.

Grace, qui avait attendu avec inquiétude le retour de sa fille cadette, l'avait vue arriver plus tard que d'habitude dans une petite voiture bleue. Elle s'était empressée d'aller ouvrir la porte et Paddy était entrée d'un pas dansant, un sourire radieux aux lèvres.

– Excuse-moi d'être en retard, Maman. Mais ne te fais plus de souci pour moi, je suis une adulte à présent, tu sais.

Grace s'était dit que sa cadette devenait plus belle de jour en jour.

– Bien sûr que tu es une adulte, ma chérie. Je n'étais pas inquiète le moins du monde. Qui était ce jeune homme qui te raccompagnait ? Tu aurais pu lui dire d'entrer boire une tasse de thé. Ayah a confectionné un gâteau.

— Karam, avait coupé Paddy, Karambir Singh, le garçon que je ne peux pas faire venir à mon anniversaire. Mais je tiens à l'inviter un jour ici. Je veux que tu le rencontres, et Papa aussi. Tu l'aimeras beaucoup, Maman.

Et elle s'était éloignée en virevoltant vers sa chambre sans remarquer l'expression inquiète de Grace en réaction à ce qu'elle venait de deviner, guidée par son intuition maternelle.

C'est donc dans ce sens que le vent souffle, s'était-elle dit, soucieuse. Paddy marche sur un petit nuage. Que va dire Robert ? Il aurait dû nous faire embarquer pour l'Angleterre avant, ou nous permettre de rester et de tenter notre chance parmi les autochtones. Combien de temps pouvons-nous vivre entre ces deux mondes, avec nos filles qui poussent à toute vitesse ?

Seigneur, montre-nous le chemin ! avait-elle supplié avec un regard éploré au Sacré-Cœur de Jésus qui la considérait du mur, le visage tranquille, l'expression immuable, la main gauche levée dans un geste de bénédiction. Puis elle s'était signée, murmurant la prière qui lui montait aux lèvres :

— Sainte Marie, mère de Dieu, priez pour nous, pauvres pécheurs, maintenant et à l'heure de notre mort, ainsi soit-il.

25

Samedi après-midi

L E SAMEDI SUIVANT, alors que Grace et Robert s'ins-
tallaient pour déjeuner seuls au grand déplaisir de
Robert, ce dernier avait maugréé en dépliant sa serviette
d'un coup sec :

– Mais où sont-elles donc ?

Il ne s'était déridé qu'en voyant Ayah poser devant lui
son plat favori, *haans and baans*, du canard aux pousses
de bambou, spécialité anglo-indienne qu'elle avait appris
à préparer à la perfection.

Paddy avait prévenu Grace qu'elle était invitée au restaurant par son ami Karam et qu'elle le retrouverait après
sa demi-journée de travail à la sortie du bureau. Shirley
était au Prince. Derrière les portes closes du night-club,
le groupe répétait de nouvelles chansons, Benny tenant à
mettre leur répertoire constamment à jour. « Les gens se
lassent d'entendre toujours les mêmes rengaines, disait-il
souvent. Nous devons devancer tous les autres avec des
nouveautés. »

Robert et Grace prenaient plaisir à écouter Shirley
répéter les nouvelles chansons dont elle devait apprendre
par cœur les paroles. Robert était particulièrement amusé

par « *Itsy bitsy teeny weeny tout petit petit bikini...* » et il accompagnait souvent sa fille lorsqu'elle le chantait, assise au piano. Grace et Paddy étaient, quant à elles, des fans indécrottables d'Elvis Presley et fredonnaient à l'envi « *It's Now or Never* », que Shirley leur avait fait connaître.

Ayah venait de disparaître à l'office après avoir débarrassé la table pour déjeuner à son tour et faire la sieste. Grace, qui se serait volontiers allongée elle aussi un moment, espérait que Robert allait sortir pour aller retrouver ses amis Victor et Ian au D.I., mais il s'attardait sur la véranda, feuilletant nerveusement des exemplaires de *Tit-Bits* et de *John Bull*, deux magazines auxquels il s'était abonné au début de l'année pour se tenir au courant de l'actualité en Angleterre en attendant d'aller y vivre. Chaque fois qu'il entendait un bruit de pas sur le palier, il levait la tête dans l'expectative, mais ce n'étaient que les voisins.

L'accès de colère de Paddy, deux jours plus tôt, l'avait laissé troublé et inquiet. Ils ne s'étaient pas parlé depuis lors et n'avaient fait qu'échanger un bref bonjour en se croisant. Ils ne l'avaient pas vraiment cherché. C'étaient plutôt les divergences de leurs emplois du temps respectifs qui en avaient décidé ainsi.

Grace, sentant qu'il avait besoin de compagnie, se résigna à sacrifier sa sieste. Elle se saisit d'un vieux numéro de *Woman & Home* – encore un abonnement souscrit en prévision de leur « retour au pays » – et se mit à y découper des recettes qu'elle glissait à mesure dans la grande enveloppe réservée à leur collection. La plupart lui étaient parfaitement étrangères, mais elle persévérait, prévoyant de demander un jour à Ayah d'en essayer quelques-unes pendant qu'elle la regardait faire pour en prendre de la graine. « Je dois apprendre à cuisiner, se houspillait-elle. Je ne peux tout de même pas nourrir ma famille d'œufs durs tous les jours, une fois là-bas. C'est Maud qui en ferait des gorges chaudes ! »

– Quatre poireaux de taille moyenne rincés à grande eau, trois pommes de terre pelées..., lut-elle sans conviction.

À quoi diable pouvait bien ressembler un poireau ? Elle aurait pu à la rigueur apprendre à préparer un curry de poulet et se pensait capable de faire cuire du riz, mais Maud avait dit qu'on ne trouvait pas d'épices indiennes dans les boutiques d'Angleterre. Quel endroit étrange semblait être ce pays. Et qu'allait dire Robert si elle lui servait du poulet bouilli tous les jours ?

Grace, en proie à ces pensées déprimantes, entendit Robert lui adresser la parole et fut soulagée de l'occasion qu'il lui offrait de remettre sa lecture à plus tard.

– Écoute un peu, Gracie. Je suis en train de lire une chronique hebdomadaire qui s'appelle « Le bruit et la fureur ». Selon Paddy, le titre est tiré d'une pièce de Shakespeare – *Macbeth*, si mes souvenirs sont bons – qu'elle a jouée à l'école. Bref, le type y parle d'« État providence pour tous ». De quoi s'agit-il ? Franchement, je n'en ai pas la moindre idée. Maud dit qu'ils ont des hôpitaux gratuits là-bas, c'est peut-être ça dont il est question, mais...

Il secoua la tête, perplexe.

– ... Même les dessins humoristiques... Ce personnage de bonhomme minuscule en casquette qui crie toujours après sa femme, par exemple. Je ne comprends pas ce qu'on peut lui trouver de drôle ! La vérité, c'est que tout est différent là-bas, complètement différent.

Grace faillit lui demander pourquoi, dans ce cas, ils devaient partir, mais échaudée par de précédentes expériences, elle se ravisa.

∾

— « *Prawn ka baba-log* », énonça sentencieusement Paddy.

— Quoi ? demanda Karam. Qu'as-tu dit ? Qu'est-ce qu'une « marmaille de crevettes » ?

— Cette recette qu'on appelle « cocktail » de crevettes, ce n'est pas un « cocktail », mais une « marmaille » de crevettes, expliqua Paddy avec un grand sourire. Je t'ai appris quelque chose, non ?

Ils étaient assis à une table pour deux au Sky Room de Pak Street, le restaurant favori de Karam.

Il éclata de rire.

— « *Prawn ka baba-log* » ! Elle est bien bonne ! C'est comme ça qu'on dit chez toi ? Si oui, j'en ferai autant désormais. C'est la meilleure définition qu'on puisse en donner.

— Hé, Jimmy, s'écria-t-il pour appeler un jeune serveur anglo-indien qui s'approcha aussitôt en souriant de ce client régulier qui avait droit à quelques privilèges. Cette jeune dame dit que vous devriez rebaptiser votre cocktail « marmaille de crevettes ». Qu'est-ce que vous en dites ?

Les yeux gris de Jimmy se posèrent sur Paddy et son beau visage se fendit en un sourire charmeur.

— C'est comme ça que je l'appelle, moi aussi, monsieur, comme tous les Anglo-Indiens de Calcutta, n'est-ce pas, mademoiselle ?

Paddy lui rendit son sourire.

Elle prenait beaucoup de plaisir à cette découverte du Sky Room. Le décor était à couper le souffle, avec ses lumières tamisées révélant, incrustées dans le plafond, des étoiles qui brillaient comme dans un ciel nocturne et projetaient des lueurs sur les couverts au style raffiné, élégamment disposés sur la nappe en damassé couleur pêche.

Ignorant jusqu'au nom de la plupart des plats qui figuraient à la carte du temple de la gastronomie européenne, Paddy avait laissé Karam commander pour elle. La marmaille de crevettes suivait le melon accompagné d'une tranche de jambon coupée si fin qu'elle en était transparente (un hors-d'œuvre typique du Sky Room). Venait ensuite une soupe à l'oignon, puis un poulet tetrazzini pour Paddy et un chateaubriand pour Karam. Bleu.

— On dirait de la viande crue, dit Paddy en lorgnant le steak rouge foncé que Karam découpait à l'aide d'un couteau denté. C'est vraiment bon ?

— Miam, délicieux ! répondit-il. Tiens, goûtes-y.

Et, coupant une bouchée, il la déposa sur une petite assiette et la lui tendit. Paddy mâcha, convaincue.

— Oui, c'est vrai, dit-elle. Mais je préfère quand même mon tetrazzini. Il est divin. Merci de m'avoir amenée ici.

— Si tu veux, nous reviendrons déjeuner ici tous les samedis, plus quelques soirs pour dîner. Ça te ferait plaisir ?

Paddy acquiesça de la tête. Comme la vie était devenue merveilleuse et excitante depuis qu'elle connaissait Karam ! Oh, mon Dieu, je l'aime tellement, se dit-elle. Pourvu que rien ne nous sépare jamais.

Elle croisa les doigts sous sa serviette.

Un peu plus tard, ils se retrouvèrent étendus, nus dans les bras l'un de l'autre, un ventilateur énergique séchant la sueur sur leurs deux corps.

– C'est un péché mortel, tu sais, dit Paddy, suivant du doigt des volutes de poils sur le torse de Karam.

Karam comprit immédiatement à quoi elle faisait allusion et ne chercha pas à nier. Il cessa de caresser le dos de son amante et souleva la tête sur un coude pour la regarder. Elle avait les yeux fermés.

– Vas-tu aller te confesser ? demanda-t-il.

Comme elle ne répondait pas, il caressa du pouce les lèvres de Paddy et répéta, inquiet :

– Princesse ? Tu veux te confesser ?

Paddy ouvrit les yeux et le regarda à travers ses cils mouillés.

– Comment est-ce que je pourrais ? dit-elle, désemparée. Il faudrait que je promette de ne pas recommencer et ça, ce n'est pas possible ! Je ne peux pas !

Karam s'étendit de nouveau, soulagé, et l'attira dans ses bras.

– Nous allons nous marier, tu sais, je n'en démordrai pas. Juste après mon vingt-cinquième anniversaire en avril prochain, dans moins de sept mois. À ce moment, je serai entré en possession de l'héritage que m'a légué mon grand-père, et personne ne pourra plus nous en empêcher. Alors ce n'est sûrement pas un péché si grave que ça, dis, ma princesse ?

– Si, dit Paddy d'une toute petite voix. Ça reste un péché. Mortel. Mais je n'y peux rien, je t'aime trop.

∼

Pour une fois, Rîla était là lorsque Ronen revint déjeuner. Elle ne considérait pas la maison de son mari comme son véritable foyer, il le savait. Elle avait mangé chez un de ses nombreux parents, avait-elle déclaré (probablement chez son cher Benu *mama* et sa si patiente épouse, se dit Ronen). Très active, elle donnait des ordres à Radha et à Pingola, apportait les plats, remplissait l'assiette de son mari comme si elle n'avait vécu que pour accéder à tous ses désirs. Elle jouait le rôle de l'épouse dévouée avec tant de conviction qu'en dépit de ses réticences, Ronen sentit un sourire s'étirer sur son visage. Elle espérait manifestement lui soutirer quelque chose et elle serait aux petits soins pour lui jusqu'à ce qu'elle se sente autorisée à lui dire quoi. Elle cherche à me manipuler comme un enfant, se dit-il, mi-amusé, mi-irrité, et elle croit vraiment que je n'y voie goutte !

Aussitôt qu'il se dirigerait vers leur chambre après le repas, elle se jetterait sur lui, recourrait à toutes les ficelles érotiques de sa connaissance, et elles étaient nombreuses ! Il s'apprêtait à vivre un après-midi agréable et vivifiant. Il déciderait ensuite de la réponse à donner à la requête de sa femme.

Quelle étrange créature j'ai épousée, se dit-il tandis qu'elle lui décochait un regard oblique derrière ses cils en promenant une langue suggestive sur ses lèvres. Il se retint avec effort d'éclater de rire.

En l'occurrence, il fut assez facile d'accéder à son désir. Étendu sur le lit, rassasié de sexe et baigné de sueur, il regardait Rîla se rhabiller. Elle avait déjà passé son jupon de sari et agrafait son corsage minuscule autour de ses seins rebondis lorsqu'elle lâcha d'un ton neutre :

– Tu ne verrais pas d'inconvénient à ce que je prenne quelques jours de vacances, n'est-ce pas ?

« Ah ! pensa-t-il, nous y voilà. »

– De vacances ? demanda-t-il. Il y a à peine un mois que nous sommes revenus de Londres.

Rîla l'avait accompagné en Angleterre durant son congé annuel de six semaines et, à sa grande surprise, elle avait détesté son séjour de bout en bout.

Cherchant à lui être agréable (après tout, elle était sa femme, pour le meilleur et pour le pire), il l'avait sortie, lui avait montré la ville, l'avait emmenée au cinéma et même accompagnée faire des courses. En vain. Rien ne l'avait intéressée.

Levant les yeux vers le dôme imposant de la cathédrale St Paul, elle avait plissé le nez et déclaré que le Taj Mahal était bien plus beau. Traversant Westminster Bridge au-dessus de la Tamise, alors que Ronen glissait comme chaque fois sous le charme du fleuve au cours puissant, Rîla avait comparé le pont à l'imposante silhouette de Howrah Bridge et l'avait trouvé sans attrait.

Quand Ronen avait envisagé d'aller écouter un concert ou voir une pièce de théâtre, elle avait refusé tout net.

– Je peux te chanter les chants de Gurudeb Rabindranath Tagore si tu veux, quel besoin a-t-on de ce Shakespeare ? Qui le comprend encore aujourd'hui, de toute façon ? Un jour, Papa nous a emmenées, Tuktuk et moi, voir cette pièce au sujet d'un roi fou et de ses trois filles – comme à la maison, disait Papa ! Ça gémissait et grommelait tout le temps, il y avait des morts, des gens qui pleuraient, et l'on n'y comprenait rien, toutes les deux. On s'est endormies.

Elle ne s'était animée qu'à la vue du Kohinoor quand il l'avait emmenée voir les joyaux de la couronne à la Tour de Londres.

La jeune femme avait rivé un regard fasciné au diamant et s'était répandue en injures contre « ces salauds de pillards anglais » avec une richesse de vocabulaire qui avait confondu Ronen. Il l'avait entraînée dehors en remerciant le ciel qu'elle se soit exprimée en bengali et non en anglais.

– Marcher, toujours marcher, je finirai par y laisser mes pieds, s'était-elle plainte le même soir. Et la nourriture ! Pas de curry de poisson, de *luchi*, de *chholar dal*, bon Dieu, qu'est-ce qu'ils peuvent donc bien manger, ces Anglais ? Je comprends qu'ils n'aient pas voulu quitter l'Inde !

Non, ce congé n'avait pas été un succès et Rîla lui avait clairement signifié qu'elle ne l'accompagnerait jamais plus en Angleterre. Elle avait même pris soin de sceller ce serment par le geste consacré, en se tenant les oreilles, langue tirée.

À présent, Ronen l'écoutait tenter de le convaincre et la devinait inquiète de ce qu'il allait décider.

– Tu sais, le mois prochain, pour Durga Pûja, Papiya et Bonty seront en vacances.

Elle parlait des filles de Benu *mama*, de cinq et quatre ans respectivement, qui fréquentaient l'école maternelle non loin de chez eux.

– Benu *mama* envisage de les emmener pour une dizaine de jours à Darjeeling, et tu sais combien elles sont attachées à moi. Elles me supplient en pleurant de les accompagner. Comment pourrait-on dire non à des enfants aussi jeunes ?

« C'est à ton vieux cochon de Benu *mama* que tu ne peux pas dire non », pensa Ronen, las de jouer le jeu de Rîla. Il se tourna sur le côté en bâillant.

– Oui, vas-y si tu veux. Appelle Vicky et Monty, qu'ils viennent me voir.

Rîla baissa les yeux pour cacher la joie malicieuse qu'elle éprouvait. Heureusement que Ronen avait accepté sans faire d'histoire. Elle n'avait pas eu besoin d'utiliser son joker, le médaillon en argent ; elle pouvait le garder dans sa manche pour une autre occasion.

∿

– Coucou, il y a quelqu'un ?

Peter entra dans l'appartement et jeta un regard circulaire au salon spacieux, de belles proportions, décoré avec goût par Alice et meublé de vastes sofas confortables, de tables basses luisantes et d'un beau tapis d'Aubusson acheté chez Hall & Anderson au coin de Park Street et de Chowringhee, la plus grande avenue de la ville. Des glaïeuls rouges et jaunes se dressaient dans des vases en verre ciselé et un pot-pourri de fleurs rapporté d'Angleterre égayait une table. Andrew avait assis son ours en peluche sur un divan et un petit ruban rose tombé d'une des tresses de Penny traînait par terre. Peter le ramassa en souriant.

Quel plaisir de pouvoir vivre sur un pied confortable en Inde tout en laissant son salaire s'accumuler sur son compte bancaire en Angleterre, de sorte que si un jour (rien n'était moins sûr) ils y retournaient, pour prendre leur retraite par exemple, ils disposeraient d'une pelote conséquente, de quoi s'acheter une maison. Rien ne valait la position d'un *box-wallah* pour vivre dans le luxe, se disait-il, très content de lui.

Box-wallah ? Alice, d'abord perplexe, n'avait pas été longue à comprendre qu'il s'agissait du terme général par lequel se désignaient les Anglais venus faire du commerce à Calcutta. Dans un premier temps, le nom avait été appliqué avec condescendance aux simples colporteurs voyageant avec leur boîte d'articles à vendre par les marchands puissants qui avaient dirigé la légendaire Compagnie des Indes aux premiers siècles de la présence britannique en Inde. Puis la définition avait évolué et *box-wallah*, sans quitter le champ du commerce, en était venu à désigner une catégorie d'Anglais au statut enviable impliqués dans l'économie, alors même que le pouvoir britannique avait officiellement disparu en Inde.

Rafiq venait de quitter le salon avec la veste et la cravate de Peter après lui avoir servi un gin tonic lorsque Alice entra pour rejoindre son mari. Ils avaient prévu de déjeuner à la maison. La voiture et le chauffeur avaient été réquisitionnés par les enfants qui devaient se rendre à une fête d'anniversaire l'après-midi, chaperonnés par Ruthie.

– Bonjour, chéri, dit Alice en lui donnant un baiser léger sur la joue. Tout va bien au bureau ?

Elle s'assit sur le divan face à lui et fit signe à Rafiq, revenu la servir, de lui verser un verre. Peter ôta ses chaussettes trempées de sueur et les abandonna sur le tapis où le domestique les ramassa pour les transférer dans le panier à linge.

Il remua ses orteils avec satisfaction, fit cliqueter la glace dans son verre et but une gorgée. La fraîcheur du liquide sur sa langue était délectable après la moiteur torride de l'extérieur.

– Le mieux du monde. Au fait, j'ai quelque chose à te montrer, dit-il en tirant une enveloppe de la poche de son pantalon. Ryan me l'a donnée hier, mais je l'avais oubliée au travail. C'est une invitation. J'ai bien peur qu'on ne puisse y échapper, cette fois-ci.

Alice étudia le carton.

– « Shirley Ryan », lut-elle, pensive. Ce n'est pas la chanteuse qu'on a entendue au Prince ? La nouvelle aux longs cheveux blonds et à la belle voix ? Mais oui, poursuivit-elle en hochant la tête, c'est le même nom, j'en suis sûre. C'est donc la fille de ton Ryan ! On aurait pu la prendre pour une Anglaise.

Puis, souriant à Peter, elle reprit :

– Un dîner dansant, imagine un peu ! Je crois bien que j'ai envie d'y aller, tu sais. Il se pourrait qu'on s'y amuse énormément.

∾

La répétition touchait à sa fin et tous allaient bientôt rentrer déjeuner chez eux. En général, Benny préférait ne pas faire venir ses musiciens le samedi, car ils terminaient tard les soirs de week-ends, mais ils n'avaient rien ajouté à leur répertoire depuis longtemps et il était inquiet. Une prestation au Prince rapportait un cachet énorme à chacun d'eux et il entendait maintenir sa formation au sommet de l'excellence. Ce n'était pas un objectif facile, avec tous les musiciens de talent qui jouaient quotidiennement dans les night-clubs et les restaurants de Calcutta.

Le Blue Fox, dans Park Street, était réputé pour son orchestre de jazz dans lequel chantait la fantastique Pam Crain. Shirley Myers, qui se produisait à El Morocco, avait son propre cortège de fans, et Eve faisait un tabac au Trinca auprès de la clientèle plus jeune des amateurs de jam-sessions. La qualité de ces ensembles rendait déjà la concurrence assez rude, mais il fallait encore compter avec la musique que l'on pouvait écouter chaque soir au Shéhérazade, au Great Eastern Hotel, chez Maxim et dans bien d'autres discothèques.

Shirley respectait et admirait profondément Benny Rosario, magicien du clavier et bon joueur de clarinette. Elle était consciente du privilège qui était le sien de travailler avec lui et elle éprouvait toujours un frémissement de fierté quand il lui disait sur un ton bourru : « Tu te débrouilles drôlement bien, Shirley. Continue comme ça, fillette. »

Pour l'heure, il déclarait :

– On reprend une fois le nouveau Jim Reeves depuis le début et on remballe, mais attention, seulement si on le joue parfait.

Aubrey s'installa devant le micro. Le morceau réclamait une voix d'homme et Shirley chantait l'arrière-plan harmonique. Benny plaqua les premiers accords, Aubrey fit résonner sa guitare et se lança dans la ballade qui disait : « *Approche tes douces lèvres du combiné de téléphone...* »

Benny avait introduit une reprise au saxophone entre deux couplets et lorsqu'il cria « À toi, Stan ! », le saxophoniste s'empara de la mélodie qui s'envola, accompagnée très discrètement par les balais d'Armand à la batterie. Shirley sentit la chair de poule hérisser les poils de ses bras, tant la musique était belle. « Comment ai-je pu atterrir ici, parmi ces génies ? se demanda-t-elle. J'ai dû faire une très, très bonne action pour mériter une telle chance. »

Quand Benny eut donné le signal du départ, Shirley et Armand gagnèrent main dans la main le parking où Armand garait sa moto. Shirley fredonnait la nouvelle chanson.

– « *Approche un peu tes douces lèvres des miennes* », improvisa Armand, joignant sa voix à celle de Shirley qui se prit à sourire.

– Je m'exécuterai quand nous serons arrivés chez toi, dit-elle en nouant un foulard autour de sa tête pour empêcher le vent d'emmêler ses longs cheveux, puis elle s'assit en amazone derrière Armand et lui enlaça fermement la taille.

Armand habitait Park Lane, une ruelle malodorante des environs de Wellesley Street, puant l'urine comme toutes les rues de Calcutta et de l'Inde, car les hommes se soulageaient n'importe où à leur guise. Comment les femmes se débrouillaient-elles pour se retenir ? Shirley ne connaissait pas la réponse à cette énigme.

L'appartement d'Armand était un spacieux trois-pièces qu'il partageait avec sa mère et Rhett, son frère aîné. Ce dernier travaillait comme chef de cabine à la BOAC, emploi convoité qui lui permettait de rapporter chocolats, vêtements, parfums, fromages et toutes sortes de bonnes choses de Londres pour égayer l'existence des membres de sa famille. Il fournissait également Benny en quarante-cinq tours de nouveautés musicales qu'il lui faisait transmettre par Armand. Benny écoutait les morceaux autant de fois qu'il lui était nécessaire pour en établir la partition sur des feuilles de musique qu'il faisait ensuite passer à tour de rôle à ses musiciens afin qu'ils la recopient.

La première fois que Shirley avait entendu Armand prononcer le nom de son frère aîné, elle avait levé les sourcils en pouffant de rire :

– Ne me dis pas que...

– Si, avait-il confirmé, c'est bien ce que tu crois. Mam lisait *Autant en emporte le vent...*

Shirley n'avait jamais eu le courage de se lancer dans la lecture de ce pavé, bien que Paddy lui eût affirmé que l'histoire lui plairait beaucoup, mais elle avait vu le film, et comme toute spectatrice était tombée amoureuse de Clark Gable dans le rôle de Rhett Butler.

– Heureusement, elle a fini le roman à temps pour ne pas m'imposer le nom d'un autre personnage, avait repris Armand en se joignant à son rire. Dieu sait de quel prénom elle m'aurait affublé ! Pork, peut-être ! Tu te rappelles celui-là ?

Avançant les lèvres et ouvrant de grands yeux, il avait imité l'esclave noir tandis que Shirley suffoquait de rire : « *Laws a mercy, Miz Scarlett, I cain't pick dat cotton and kill dem hawgs, I is a house nigger* » (Heureusement, il y a des lois, Miss Scarlett, je ne peux pas cueillir le coton et tuer les hérissons, je suis un nègre de maison).

La mère d'Armand était partie pour quelques mois à Jabalpur où sa fille s'apprêtait à accoucher, et Rhett était souvent dans les airs, si bien que l'appartement se retrouvait très souvent à la seule disposition d'Armand. Une femme de ménage qui travaillait chez les voisins venait faire le ménage en l'absence de sa mère. Elle lui cuisinait également des côtelettes avec de la purée et autres plats simples qu'elle laissait sur la table dans une boîte à en-cas, cet empilement astucieux de compartiments en aluminium dans un cylindre de métal isolé capable de maintenir la nourriture chaude pendant plusieurs heures.

Quand ils travaillaient de jour, Shirley et Armand allaient déjeuner chez lui et se partageaient le contenu de la boîte. Ils complétaient leur repas avec les sandwiches à la tomate et au fromage qu'Ayah avait préparés pour Shirley, et le terminaient en piochant dans les réserves de Kit-Kat et de chocolats Galaxy dont le frigo, grâce au grand frère, était toujours garni.

Shirley aimait beaucoup Armand. Ils étaient les seuls, avec Aubrey, à avoir sensiblement le même âge (elle avait un an de plus que lui). Aubrey, passablement raide et formel en présence de Shirley, était « homo », avaient-ils décidé. Armand était gentil et drôle. Il avait tout un répertoire de blagues qui la faisaient rire. Leurs rencontres s'étaient multipliées au fil du temps, puis ils avaient commencé à coucher ensemble chaque fois que l'appartement vide leur en offrait l'occasion. Elle savait qu'elle n'était pas amoureuse de lui, du moins qu'elle n'éprouvait pas pour lui les mêmes sentiments passionnés que Paddy pour Karam. Pourtant il lui arrivait de se dire qu'elle n'aimerait peut-être jamais quelqu'un autant qu'elle aimait Armand, exception faite de ses parents, d'Ayah, d'Apurru et, a fortiori, de Paddy.

Elle savait aussi qu'Armand était profondément amoureux d'elle et souhaitait l'épouser. Il le lui avait souvent proposé, et elle s'était dit : « Au fond, pourquoi pas ? Je l'aime mieux que tous les autres garçons, nous avons en commun la musique, il m'aime de tout son cœur et j'ai presque vingt et un ans... Peut-être pourrait-on se marier l'an prochain, et si Papa réussit à nous faire embarquer pour chez nous, il pourra venir avec nous... »

Lorsque Karam déposa Paddy au pied de chez elle, il était presque cinq heures. Elle monta l'escalier quatre à quatre et fonça dans la salle de bains afin de libérer la pièce pour Shirley avant le retour de celle-ci.

Durant les mois d'été torrides et moites, la norme pour la plupart des habitants de Calcutta était de prendre une douche le matin avant de sortir et une autre le soir en rentrant. Parfois, quand la nuit était trop étouffante, une troisième douche juste avant de se mettre au lit était la bienvenue. L'astuce, bien connue de Paddy et tous les habitants de Calcutta, était alors de se tamponner le corps d'une serviette sans vraiment l'essuyer. Le ventilateur du plafond rafraîchissait ensuite la peau humide tout en la séchant.

Grace avait mis un certain temps à se faire au système des douches multiples. Bangalore jouissait d'un climat tempéré et à Saharanpur, où elle avait habité auparavant, il faisait très chaud, mais très sec, contrairement à Calcutta où l'on se sentait la peau collante tout en ruisselant de sueur.

Rafraîchie par sa douche, Paddy gagna la véranda à la recherche de son père. Il était assis seul, plongé dans la lecture d'un de ses magazines anglais, le sourcil froncé d'exaspération. Grace était partie faire la sieste un peu plus tôt. Les paupières de plus en plus lourdes, elle avait réprimé plusieurs fois un bâillement que seul l'écartement de ses narines avait trahi, mais il n'avait pas échappé à Robert.

– N'est-ce pas l'heure de ta sieste, Grace ? lui avait-il demandé.

Reconnaissante, elle s'était aussitôt levée et dirigée vers sa chambre.

Paddy passa la tête par l'entrebâillement de la porte.

– Daddy ? appela-t-elle doucement.

Le visage de Robert s'illumina en la voyant et, jetant le magazine par terre, il ouvrit largement les bras :

– Paddikins ! Viens, viens sur mes genoux, mon bébé, et fais un bisou à ton vieux Papa !

Les bras serrés autour de son cou, Paddy murmura :

– Excuse-moi pour ce que j'ai dit, je le regrette beaucoup. Je ne le pensais pas, Daddy.

Robert la pressa contre lui.

– Allons, allons, c'est fini, fillette. C'est fini. Ce n'est pas de ta faute, ni de celle de personne. Ce sont les règles en vigueur dans ce pays, c'est tout. Je suis désolé pour ton ami. On l'invitera pour Noël.

Si proches l'un de l'autre, avec leurs boucles noires four-
nies et denses, leurs crânes auraient été difficiles à distin-
guer, n'eussent été les premiers cheveux d'argent apparus
sur la tête de Robert.

Paddy frotta sa joue contre celle de son père. Elle aimait
éprouver le chatouillement des poils de sa moustache.

– Je t'aime, mon Daddy ! s'exclama-t-elle joyeusement.

– Je t'aime, ma Paddy ! répondit Robert.

La rime involontaire les fit éclater de rire ensemble.
Robert tapota la joue de sa fille.

– Depuis toujours, depuis le jour où tu es née. Et pour
toujours.

26

La fête d'anniversaire

PAR CE PREMIER DIMANCHE de septembre, la fraîcheur était déjà palpable.

La « saison de Calcutta », un tourbillon de fêtes, pique-niques, concerts, courses de chevaux, matches de polo et tournois entre divers clubs de sport allait s'ouvrir. Tous ceux qui avaient eu la chance de pouvoir quitter la ville torride pendant l'été en partant soit à l'étranger, soit pour les stations d'altitude de Darjeeling ou de Simla sur les contreforts de l'Himalaya, revenaient en foule, prêts à profiter des cinq ou six mois les plus agréables de la ville. Pour la soirée des Ryan, c'était le moment idéal.

Shirley et Paddy commencèrent dès le matin à se préparer.

Les deux filles avaient cessé d'accompagner leurs parents à la messe le dimanche. Paddy alléguait que c'était le seul jour où elle pouvait faire la grasse matinée, et qu'elle préférait aller à l'église le samedi midi après sa demi-journée de travail. Shirley, pour qui tous les matins de la semaine étaient libres, ne manquait pas d'assister à une messe une fois par semaine.

Grace avait accepté ces nouveaux aménagements sans commentaire. Robert aussi, ce qui était surprenant. « Peut-être qu'il s'adoucit avec l'âge, s'était-elle dit, ou qu'il commence à comprendre que ses filles sont à présent adultes, capables de prendre leurs propres décisions comme elles le sont de gagner leur vie. C'est merveilleux de pouvoir gagner de l'argent. D'un jour à l'autre, on commence à vous prendre au sérieux. Si seulement j'avais eu un travail, Maud m'aurait sûrement traitée avec un peu plus de considération. »

Pour Paddy, bien sûr, la fréquentation de l'église sans ses parents lui permettait de leur cacher qu'elle n'allait pas à confesse et ne communiait pas. « Je suis une pécheresse, se disait-elle avec un sentiment de culpabilité, tout juste digne de rôtir en enfer. »

Lorsqu'elle s'était ouverte de ses craintes à Shirley, la fermeté du point de vue de sa sœur, à l'ordinaire timide, sur la question l'avait surprise.

– Tu n'iras pas en enfer pour ça, pas plus que moi ! Jésus en personne n'a-t-il pas dit : « Que celui qui n'a jamais péché lui jette la première pierre » ? Alors montre-moi quelqu'un qui soit sans péché. Le père Joseph, par exemple, il n'y a pas plus orgueilleux que lui. Il a toujours quelque chose à reprocher aux autres. Et Dieu sait jusqu'où ces prêtres peuvent aller dans la turpitude ! Armand, qui a été enfant de chœur, m'a raconté des choses qui te feraient dresser les cheveux sur la tête, Paddy !

Bouche bée, Paddy l'écoutait. Elle reprit avec une expression sérieuse :

– Ne t'inquiète pas, Paddikins. Tu es parmi les personnes les… – elle cherchait en vain le mot juste – les meilleures que la terre ait portées. Je le dis comme je le pense. Pour toi, le jour venu, ce sera le Paradis sans escale ! conclut-elle en tirant affectueusement sur une boucle de cheveux de sa sœur.

Paddy lui avait souri avec reconnaissance, étrangement réconfortée par ces paroles.

Ce dimanche-là, elles n'avaient pas le temps de penser à ces questions. Tout d'abord, Ayah devait porter leurs robes de soie – lamée or pour Paddy, émeraude pour Grace, chiffon bleu pour Shirley – au *pinman* du quartier, installé sur le trottoir avec sa table et son fer à repasser. Après avoir glissé les vêtements pliés dans un sac en papier kraft, elle était partie en rickshaw avec Gussy, armée de trois cintres pour les rapporter. Elle n'allait donc pas pouvoir aider Shirley à se laver les cheveux, et Paddy s'offrit à la remplacer. Étant donné leur longueur, c'était un processus laborieux.

Shirley, en combinaison, se pencha pour faire pendre sa chevelure au-dessus de la baignoire sur pieds, munie d'un flacon de shampooing Halo, sa marque préférée. Un seau en laiton était placé sous le robinet. La tâche de Paddy consistait à puiser au seau un petit verseur d'eau qu'elle vidait sur la tête de Shirley après le shampooing et à répéter l'opération autant de fois qu'il était nécessaire pour débarrasser les cheveux de sa sœur de toute la mousse. À la fin, son bras lui faisait mal. Elle avait rempli et vidé le verseur une bonne vingtaine de fois sans une plainte avant d'estimer venu le moment de tendre une serviette à Shirley.

– Pfiou ! Il faisait rudement chaud là-dedans ! s'exclamat-elle en tournant le réglage du ventilateur de leur chambre à la vitesse maximale.

Puis elle se jeta sur son lit et se renversa sur ses oreillers.

– Il faudrait demander à Papa de mettre un ventilateur dans la salle de bains, suggéra-t-elle.

– Pas besoin de l'embêter avec ça, on peut s'en occuper nous-mêmes. Je donnerai de l'argent à Apurru pour en acheter un et on demandera à Ayah de faire venir un électricien pour l'installer au plafond.

Paddy leva un regard d'admiration sur sa sœur. Comme elle avait gagné en assurance et en maturité depuis qu'elle chantait au Prince !

Penchée juste au-dessous du ventilateur, Shirley frappait ses cheveux pendant devant elle à l'aide d'une serviette torsadée qu'elle tenait comme une corde à sauter. Tchik ! Tchik ! faisait la serviette en cadence tandis que les cheveux blonds se soulevaient et retombaient, et qu'une fine brume d'eau s'en échappait.

– Rapunzel ! Rapunzel ! chantait Paddy, accompagnant le mouvement de Shirley. C'est vraiment chic de la part de Maman et Papa de donner cette réception pour nous, non ? Si seulement Karam avait pu venir...

– Oui, c'est vraiment dommage, compatit Shirley. Il va te manquer terriblement, non ?

Paddy hocha la tête tristement puis, dans un effort pour chasser les regrets, elle sourit.

– Mais on n'y peut rien et je ne veux pas broyer du noir. Papa a dépensé de telles sommes pour nous offrir cette grande soirée que je ne vais tout de même pas la gâcher. J'ai bien l'intention de m'amuser un maximum !

– Je te reconnais bien là ! répondit Shirley. Et puis, quand tu le verras demain après le travail, tu lui raconteras la soirée. On rapportera une tranche de gâteau et tu n'auras qu'à dire à Ayah de te l'emballer pour demain. Tu la partageras avec lui.

– Oui, c'est ce que je vais faire.

Cependant, elle se rappelait Karam s'exclamant : « Rien au monde ne pourra me retenir. » C'était compter sans un obstacle qu'il ne pouvait contourner, se dit-elle avec amertume.

❧

Karam essayait de ne pas imaginer la fête dont il avait été exclu abruptement de façon si choquante. Chaque fois que ses pensées y revenaient malgré lui, une bouffée de rage lui montait à la tête.

Sa fureur ne visait ni le père de Paddy, ni le D.I. et ses règles. Pas même les Anglais que tant d'Indiens accusaient de « diviser pour régner ». Il était assez intelligent et cultivé pour comprendre que sans leur passage dans le pays, il n'aurait pas existé d'entité politique du nom d'Inde, juste un puzzle de petits États princiers et de sultanats perpétuellement en guerre les uns contre les autres. Non, s'il était furieux, c'était de vivre dans cet endroit particulier à ce moment précis de l'histoire. En même temps, s'il en avait été autrement, il n'aurait pas rencontré Paddy, et c'eût été encore bien pire... Ses pensées tournaient en boucle dans sa tête.

Abdul lui avait préparé sa tenue de tennis, connaissant la routine des dimanches matin d'été. Karam se rendait en voiture au South Club pour jouer en double avec ses partenaires habituels. Ils disputaient, le plus souvent en trois sets, une partie vive et acharnée, puis descendaient de grandes chopes de citronnade givrée. Après une douche, ils déjeunaient ensemble.

Comme il n'avait fréquenté ni l'école ni l'université à Calcutta, Karam n'y avait pour amis que ceux qu'il s'était faits en pratiquant ses loisirs. Bon sportif, il faisait un partenaire très recherché. Outre sa haute taille, qui lui donnait l'avantage d'un service puissant, il avait mis au point une technique de service-volée efficace, particulièrement bien adaptée au double.

En hiver, son horaire changeait. Il jouait le samedi soir à la lumière électrique après avoir déposé Paddy chez elle. Le club de cricket qu'il avait rejoint se réunissait tous les dimanches sur le *maidan*, l'immense étendue verte qui apportait un ballon d'oxygène à Calcutta. Karam jouait en position de gardien de guichet-batteur. Là encore, sa taille lui donnait un avantage très important quand il était question d'attraper ou de manier la batte.

Il prenait plaisir à la pratique de ces deux sports, à la compagnie libre de contraintes des jeunes athlètes, à leur bavardage facile et plein d'entrain, au partage amical d'un moment autour d'un verre après la partie.

Le soir, son amour de la musique l'avait entraîné au Prince. Son admiration pour la formation de Benny, et la voix de Shirley en particulier, avait fait de lui un habitué du lieu. Il y passait des instants plaisants à bavarder et plaisanter autour d'une bière avec de jeunes gaillards de son genre rencontrés sur place. Pour un homme comme lui, disposant de beaucoup d'argent et de temps, la vie à Calcutta, une des villes les plus excitantes et animées d'Asie, était très agréable. Il avait accueilli chaque nouvelle journée comme un cadeau et l'avait dégustée avec gourmandise.

Depuis qu'il avait fait la connaissance de Paddy, cependant, sa façon de voir le monde avait changé. Il n'avait plus envie de fréquenter le Prince. Le seul soir où il y était retourné après sa rencontre avec Paddy lui était resté en travers de la gorge. Plusieurs mois n'avaient pas suffi à effacer l'impression désagréable qu'il en avait retirée. Assis à sa place habituelle au bar devant sa bière, échangeant un mot amical de temps à autre avec Ali, le barman bienveillant, il avait d'abord été content de voir arriver un des hommes qu'il considérait comme ses « amis du soir » et l'avait salué d'une tape sur l'épaule.

– Bonsoir, Dhruv, une bière ?

Il avait passé la commande à Ali doigt levé. Dhruv s'était hissé sur le tabouret voisin en le remerciant.

– Au fait, mon vieux, avait attaqué ce dernier, j'ai une dent contre toi pour ce que tu as fait la dernière fois. Qu'est-ce qui t'a pris d'accaparer cette jolie petite poule bien fraîche toute la soirée sans penser à nous ? Ali m'a dit que c'était la sœur de la chanteuse ? Vachement canon, la fille ! Tu aurais au moins pu nous y faire goûter, à moi, à Arjun et aux autres ! Ça sert à quoi, sinon, les amis ?

La mine de Karam s'était assombrie ; il avait écouté son propos en fronçant le sourcil.

– Tais-toi donc, elle n'est qu'une enfant, pour l'amour de Dieu !

– Oui, je sais, avait ricané l'autre. C'est ce qui la rend si appétissante ! Qui voudrait d'elle si c'était une vieille peau toute flétrie ? Pas moi ! De la chair fraîche, premier choix, c'est ça que je consomme ! La prochaine fois, pense à tes amis, espèce de sale égoïste.

– Assez ! Je croyais t'avoir dit de la fermer ! Je t'interdis de parler d'elle sur ce ton !

Karam, laissant sa bière à demi terminée sur le bar, était sorti à grandes enjambées. Le miroir qui couvrait le mur face à eux lui avait renvoyé le visage de son compère, l'air à la fois consterné et au bord de la colère.

Cette attitude péjorative envers les femmes anglo-indiennes était ancrée dans la mentalité des hommes indiens quelles que soient leur classe ou leurs croyances. Karam se rappelait le sourire narquois d'Abdul quand il avait salué Paddy la première fois qu'il l'avait vue dans l'appartement, en rentrant de congé. Après le départ de la jeune femme, il avait dit à Karam du ton grivois que les hommes s'autorisent entre eux :

– Dans combien de temps Saab dira-t-il à cette jolie perruche d'aller se trouver un autre nid ? Une semaine ? Quinze jours ? Un mois ?

Il avait été stupéfié par la réaction de son maître. Karam s'était retourné contre lui telle « la fureur d'Allah », avait-il raconté à un ami en service chez les voisins du dessus, avant de lui déclarer sans ambages que cette jeune demoiselle Saab était destinée à devenir la maîtresse que lui, Abdul, aurait à servir. Et que s'il ne lui témoignait pas tout le respect auquel elle avait droit, il n'aurait qu'à prendre ses cliques et ses claques et se trouver une autre maison. Ébranlé, penaud, Abdul avait maintenu plusieurs semaines durant une distance glaciale vis-à-vis de Paddy, détournant les yeux quand il était obligé de s'adresser à elle, ce qu'il faisait en termes exagérément obséquieux. Cependant, le sourire amical de la jeune fille et sa totale absence d'arrogance avaient eu raison de sa réserve et il était devenu son plus ardent champion, son plus grand admirateur. Pour elle, il préparait en un tournemain des « anges à cheval », des « tambours du paradis » et la regardait avec un sourire attendri y planter sa cuiller en s'extasiant sur ses talents de chef.

Karam poussa un soupir de soulagement. Il aurait été dévasté de devoir renvoyer Abdul. Cependant, si l'attitude de Dhruv et d'Abdul envers Paddy l'avait mis en colère, il n'en avait pas moins mauvaise conscience en pensant à ce qu'avaient été ses intentions premières en abordant la jeune fille seule à sa table. Elles avaient été guidées par ces mêmes préjugés, qu'il avait alors en commun avec Dhruv et tous les hommes en compagnie desquels il partageait ses soirées au Prince.

Délibérément en chasse d'une proie facile, il s'était préparé à danser collé contre Paddy pendant quelques tours de piste avant de l'emmener chez lui pour coucher avec elle, puis de la retrouver pour une brève aventure, plusieurs jours, quelques semaines tout au plus, et de passer au morceau suivant de « chair fraîche, premier choix » que Dhruv avait évoqué avec tant de délicatesse.

C'était la norme. Pour les autres communautés, les Anglo-Indiennes étaient faciles, sans pudeur, prêtes à tomber entre les bras des Indiens de la classe supérieure qui jouaient avec elles un moment avant de les abandonner pour épouser la femme socialement adéquate, appartenant à leur milieu et choisie par leur famille. Karam n'avait pas vu les choses autrement jusqu'au moment où il s'était trouvé brusquement, aveuglément amoureux de Paddy.

En la quittant ce premier soir, il avait été bouleversé par les émotions qu'elle éveillait en lui. « Je n'aurais jamais cru que le coup de foudre existait vraiment, s'était-il dit dans un grognement. Je croyais que c'était une de ces inventions à l'eau de rose qu'on trouve dans les romans sans intérêt que ma sœur dévore. Comment diantre cela a-t-il pu m'arriver ? Et que diront les parents en apprenant qu'elle est anglo-indienne ? Pater, le pauvre vieux, a perdu beaucoup de sa hargne, mais Mater ! » Et il imaginait avec un sourire sans joie la fureur de diva que sa charmante mère, aristocrate et snob jusqu'au bout des ongles, déchaînerait à coup sûr contre lui.

Mater, lui dit-il dans sa tête, ce sera la guerre entre nous de l'aube au crépuscule, aussi longtemps qu'il le faudra. Que vous le vouliez ou non, Paddy deviendra votre bru.

Habillé, prêt à partir, il dévissa les boulons de la presse qui enserrait sa raquette pour éviter au bois de gauchir et rangea cette dernière dans son sac de sport. Captant son reflet dans le miroir en sortant, il fronça le sourcil. « Et merde ! Quel pays obscurantiste ! Qu'il s'agisse de races, de classes, de castes, de religions, tout le monde est en conflit avec tout le monde ! Dire qu'il y a à peine douze ans qu'on est indépendants ! Je me demande combien de temps encore l'Inde sera capable de tenir sans exploser. »

Il était sept heures moins le quart et Robert Ryan arpentait le salon nerveusement en jetant de fréquents coups d'œil à sa montre. Il était vêtu de son plus beau complet-veston, ses manches de chemise arboraient les boutons de manchettes en argent que Paddy lui avait offerts et il avait enduit ses cheveux si généreusement de Brylcreem qu'aucune boucle rebelle n'échappait à l'autorité onctueuse de la pommade. Il avait déjà frappé à trois reprises aux portes des chambres où Grace et ses filles se préparaient.

— Allons, pressons-nous un peu, là-dedans, les exhorta-t-il pour la énième fois, sinon nos invités vont finir par arriver avant nous et ça la ficherait mal, non ?

La voiture avait été débâchée et lavée un peu plus tôt en fin d'après-midi. Le coffre renfermait déjà les deux gâteaux d'anniversaire livrés par Flury ainsi que, réparties en deux paquets, les petites bougies de couleur qui y seraient plantées plus tard avant d'être soufflées par les filles, dix-huit pour Paddy, vingt et une pour Shirley. Ayah les avait soigneusement recomptées pour s'assurer qu'il n'y avait pas d'erreur.

Robert regarda sa montre une fois de plus en maugréant : « Elles n'auront donc jamais fini de se pomponner ! On va être en retard ! »

Il s'apprêtait à envoyer Ayah à l'assaut des chambres quand, pratiquement à l'unisson, les deux portes s'ouvrirent et les trois femmes sortirent.

— Je suis prête, Robert, dit Grace tandis que Shirley et Paddy prenaient la pose devant leurs parents.

— Comment on est, Maman ? Ça va ?

Avant que Grace puisse placer un mot, Robert lâcha un long sifflement admiratif dans les graves :

— Dieu du ciel, regardez-moi ces trois beautés ! Vous êtes ren-ver-santes ! Sûrement de loin les plus jolies femmes de Calcutta !

Puis, secouant la tête sous le coup de la stupeur, il se dit : « Qu'est-il arrivé à Paddy, mon petit gibbon espiègle ? Quand donc s'est-elle métamorphosée en cette ravissante jeune personne – sous mon nez, sans même que je m'en rende compte ? »

Il les entraîna dans l'escalier. Ayah, qui les suivait pour leur dire au revoir, exhortait les *baba-log* à bien se conduire et leur rappelait de prendre garde à ne pas tacher leurs belles tenues en mangeant.

– Bye-bye, Ayah ! s'écria Paddy en agitant son mouchoir de dentelle à la vitre tandis que la voiture s'apprêtait à tourner le coin de la rue.

– Nous rapporterons du gâteau pour vous deux ! ajouta Shirley avant de se retourner pour lui adresser un dernier sourire par le pare-brise arrière.

La pelouse du D.I. louée par Robert pour la soirée offrait un spectacle superbe. Brian, le secrétaire du club, s'était mis en quatre pour les Ryan.

Une vaste piste de danse en bois avait été montée sur la pelouse avec son estrade, sur laquelle l'orchestre avait déjà commencé à accorder ses instruments. Du côté opposé, une longue table drapée de satin blanc était prête à accueillir le buffet, formant un « L » avec le bar pareillement nappé de blanc, étincelant de verres de toutes tailles et formes, de la chope à bière aux petits verres à sherry dont les dames âgées raffolaient. Il y avait aussi un énorme saladier rempli de punch pour les amateurs de « ce genre de choses » (l'alcool fort, selon Robert) et une quantité impressionnante de glaçons trônaient dans de grands seaux à glace à chaque extrémité du bar.

Entre le bar et la piste de danse, la pelouse était parsemée d'une vingtaine de petites tables carrées. Chacune
d'elles, entourée de quatre chaises pliantes, était recouverte
de sa nappe en Vichy rouge, avec une bougie, un cendrier
et une boîte d'allumettes – délicate attention à l'égard des
fumeurs. Des guirlandes d'ampoules bleues festonnaient
les arbres, clignotant dans le feuillage telle une poussière
d'étoiles avec un effet enchanteur.

Shirley et Paddy se tournèrent spontanément vers
Robert.

– Oh, Papa, c'est magnifique !

– Rien n'est trop beau pour mes filles ! répondit gaiement l'interpellé avant de rejoindre d'un pas nonchalant
Winston Hansen, l'illustre chanteur et maître de cérémonie
qui venait d'arriver et vérifiait le réglage du micro.

– *Testing, testing, one, two, three*, répéta-t-il à deux reprises
selon la formule consacrée, avant de faire signe à l'orchestre
de commencer à jouer un morceau au piano, quelque chose
de léger, pour l'apéritif.

Grace et ses deux filles s'assirent à l'une des tables bien
en vue de la porte qui débouchait sur la pelouse afin de
voir arriver les invités et de se précipiter pour aller les
saluer.

Armand fut l'un des premiers à franchir la porte, accompagné de son frère Rhett, tous deux très élégants dans
leurs blazers *made in England* rapportés par Rhett lors
d'une de ses escales. Grace n'avait encore jamais rencontré ce dernier et fut intriguée par le peu de ressemblance
qu'il partageait avec Armand. Du type roux le plus pur, il
avait la peau très blanche parsemée de taches de rousseur,
alors qu'Armand avait le teint cuivré et le cheveu noir. Il

possédait le même charme insouciant que son frère, cependant, et serra poliment la main de Grace lorsqu'il lui fut présenté.

– Enchanté de faire votre connaissance, lui dit-il tout en décochant à Paddy un clin d'œil coquin qui la fit éclater de rire.

La fête battait son plein, tout se passait pour le mieux et Paddy s'avisa qu'elle s'amusait beaucoup. La plupart des invités étaient des gens qu'elle connaissait depuis toujours : des amis de ses parents – « oncles » et « taties » qui l'avaient tenue sur leurs genoux et lui avaient pincé les joues quand elle était petite – et leurs enfants avec qui les filles Ryan avaient grandi, fréquenté l'école, l'église et les fêtes d'anniversaire, joué au D.I. ou au Grail Club sous l'œil vigilant des serveurs tandis que leurs parents bavardaient entre eux, confortablement installés au bar, ou jouaient ensemble au bridge.

Lorsque le maître de cérémonie annonça la première danse, Paddy se trouva entourée d'une nuée de cavaliers. Nombreux étaient ses anciens compagnons de jeux qui avaient vu en elle un garçon manqué et découvraient, stupéfaits, une nouvelle Paddy Ryan.

Dougie McKenzie, qu'elle connaissait depuis toujours et qu'elle avait souvent battu aux billes, ne pouvait détacher son regard d'elle.

– Paddy, tu es renversante ! Viens, ne dis pas non, accorde-moi cette danse.

Et Paddy le suivit, mais quelques secondes plus tard Gerry Wheeler, s'interposant, l'entraîna sans écouter les protestations indignées de Dougie, sous prétexte qu'il

191

s'agissait d'un « mixer », une danse à changements de partenaire.

– La prochaine est pour toi, Dougie, promis ! s'écria-t-elle en riant, et elle s'éloigna en virevoltant avec Gerry.

Grace les observait, contente. Si seulement Paddy pouvait trouver un jeune Anglo-Indien à aimer, pensait-elle en voyant autour de sa fille tous ces garçons qui auraient fait un parti convenable.

Elle se leva pour danser avec Charles, l'un des plus vieux amis de Robert, qui l'avait toujours beaucoup admirée. Durant tout le morceau, elle suivit son badinage d'une oreille distraite, préoccupée par la pensée de sa fille cadette. « Il faut que j'organise une grande fête à la maison pour Noël et que j'invite quelques-uns de ces garçons », pensait-elle tout en souriant mécaniquement à son cavalier. Le cœur de Charles bondit aussitôt dans sa poitrine, mais il se reprit. « Espèce de vieil idiot, se morigéna-t-il par-devers lui, amoureux depuis vingt ans ! J'aurais dû me marier depuis longtemps, vu la façon dont elle me considère. Ce Robert a une veine de pendu ! »

Grace se rassit, prétextant qu'elle laissait aux jeunes la danse suivante, une chanson de Paul Jones, et Alice Wilson, qui virevoltait gracieusement sur tout le pourtour de la piste enlacée à Robert, vint occuper la chaise voisine.

– Quelle belle fête, madame Ryan ! s'exclama-t-elle. Je soupçonnais la Shirley Ryan du carton d'invitation d'être celle qui chante au Prince, et je suis ravie d'avoir eu raison. Vous avez une fille splendide... non, *deux* filles splendides. Elles sont ravissantes, l'une comme l'autre.

Grace lui sourit, reconnaissante et contente que les Wilson prennent plaisir à la soirée. Elle avait vu Mr Wilson danser avec Paddy et Shirley successivement, tandis que, de toute évidence, Mrs Wilson était une danseuse accomplie qui accordait sans difficulté ses pas à ceux de Robert.

Celui-ci avait été généreux sur la boisson. Les invités pouvaient choisir parmi de nombreuses variétés d'alcools, de bières et de rafraîchissements. La facture était établie au fur et à mesure par le barman qui la reporterait sur son compte de membre. Tout le monde était joyeux, heureux, et même quand le jeune Billy Groser, qui avait forcé sur la bière à la suite d'un pari, quitta précipitamment la piste de danse pour aller vomir dans les buissons, les témoins accueillirent sa mésaventure avec indulgence. Ah ces garçons, on ne les changerait jamais !

Le dîner, déploiement fastueux de délices pour palais anglo-indiens – curry de poulet, crevettes aux gombos, *pantra* (friture d'émincé de bœuf Parmentier), salade russe, *paya* (pieds de porc) et riz *pulao* parfumé agrémenté de petits pois –, fut plébiscité par tous les convives. Après le salé, Shirley et Paddy soufflèrent leurs bougies et découpèrent leurs gâteaux toutes les deux en même temps, au son de « *Happy Birthday to you...* » entonné par l'orchestre et chanté en chœur par toute l'assemblée.

– Merci, Robert, merci, Grace, c'est la plus belle fête de l'année ! déclara Ian Carter en prenant congé au bras de sa femme Irene.

La plupart des invités en auraient dit autant.

Pendant le trajet du retour dans une voiture au coffre bondé de cadeaux, Paddy et Shirley, séparées par une grande boîte contenant le restant des gâteaux, somnolaient en silence. Grace se tourna vers son mari qui fredonnait en conduisant.

– La soirée s'est bien passée, tu ne trouves pas ? Il m'a semblé que tout le monde s'amusait bien.

– Oui, répondit Robert en souriant. C'était une belle réception. J'ai vu ce pauvre Charles qui te tournait autour. Si je n'avais pas été l'hôte, j'aurais bien fait la même chose. Tu restes la plus belle de toutes ces dames, Gracie !

Les filles pouffèrent à l'arrière et Grace rougit dans l'obscurité.

– Oh, ça va ! les gronda-t-elle, mais sa voix était légère et enjouée.

∾

Shirley était déjà au lit quand Paddy sortit de la salle de bains en pyjama après s'être bien nettoyé et frotté le visage.

– Cette robe dorée t'allait comme un gant, dit-elle en bâillant. Tu as fait un de ces tabacs ! Pendant les deux danses que j'ai accordées à Rhett, il n'a fait que parler de toi. Tu l'as conquis, Paddy ! Et toi, que penses-tu de lui ?

– Mm..., fit Paddy en nichant son nez dans l'oreiller et rabattant le fin drap de coton sur elle. Oui, il est très sympa. Dougie aussi... Mais Karam m'a manqué, ajouta-t-elle avant de sombrer dans le sommeil.

27

Le 2 octobre

LE 2 OCTOBRE, commémoration de l'anniversaire de Mohandas Karamchand Gandhi, plus connu sous les noms de Mahatma, de Bapu ou de Père de la Nation, était un jour férié national. Si les écoles et les bureaux de l'administration restaient fermés, ce n'était pas le cas des boutiques et des restaurants, et pourtant on avait déclaré ce jour « sans alcool ».

La restriction avait beau s'appliquer à tous les jours de fête et de célébration en Inde, Robert Ryan ne s'y faisait pas. Il ne dérogea donc pas à son habitude de protester en grommelant :

– Ils n'en ratent pas une ! De chaque occasion de se réjouir, il faut qu'ils fassent un jour sans alcool ! Fête de l'Indépendance, Jour de la République, Dîvalî… Même Holi, alors qu'ils se courent après comme des aliénés pour s'asperger de couleurs ! C'est complètement absurde. Ces Indiens sont une belle bande d'enfoirés, de malades bons pour l'asile, tous autant qu'ils sont !

– Ça n'est pas grave, lui dit Grace d'un ton apaisant tout en se demandant comment il pouvait supporter de rabâcher toujours le même propos alors qu'elle était aussi lasse de l'entendre. Regarde le bon côté des choses : ça te permet au moins de prendre de nombreux jours de congé dans l'année, et c'est un bon point, non ?

Puis, enchaînant sur ce qui les attendait ce jour-là :

– Je suis bien contente, personnellement, que tu puisses venir avec moi rendre visite à Brenda Shaw aujourd'hui. Elle est dans tous ses états, la pauvre. Déjà, avec la mort subite de Dezzie, ça n'allait pas fort, mais maintenant ! Irene est allée la voir hier, elle dit qu'elle n'arrête pas de pleurer.

– Pauvre Brenda, convint Robert, oubliant pour un instant sa rancune à l'égard des Indiens et de leurs incongruités exaspérantes. Elle me fait de la peine, Gracie. Je ne sais pas comment je réagirais si une de nos filles quittait la maison pour ce genre de raison. Pourtant Michael donnait l'impression d'être un jeune homme plein de bon sens. Mais voilà ce qui se passe quand on a des prêtres chez soi toute la sainte journée. Avec Brenda, c'est toujours des mon père par-ci, mon père par-là depuis que Dezzie est passé de l'autre côté.

Brenda Shaw habitait, un peu plus loin dans Sharif Lane, un bâtiment nettement plus décrépit que le 44-A. Elle n'était pas une amie proche des Ryan, ne fréquentant ni le D.I. ni le Grail Club, mais Robert avait bien connu son mari Desmond. Ils avaient joué au football ensemble et fait partie tous les deux de l'équipe de boxe à l'époque où ils fréquentaient l'école St Thomas de Diamond Harbour Road à Khidirpur, à la périphérie de Calcutta.

Grace et Robert se rendirent chez Brenda à pied. Michael, son fils, leur ouvrit la porte. C'était un homme de haute taille, aux traits avenants, aux cheveux drus en bataille. Il eut un sourire effacé en leur serrant la main.

– Bonjour, oncle Robert, bonjour, tante Grace. Maman est dans sa chambre. Elle ne se sent pas très bien...

Robert ne le laissa pas poursuivre :

– Le contraire aurait été étonnant, non ?

Tandis que Grace se hâtait d'entrer dans la pièce d'où leur parvenaient gémissements et lamentations, il enchaîna :

– Maintenant, écoute-moi, bien, Mikey. On se connaissait, ton père et moi, Dieu ait son âme, depuis notre plus jeune âge. Que crois-tu qu'il ressente aujourd'hui de là-haut en te voyant, en voyant la peine atroce que tu fais à ta mère ? Alors qu'elle n'a que toi ? Ne va pas plus loin dans l'absurdité, fiston, arrête ça tout de suite. Te faire prêtre ! Tu n'as rien trouvé de mieux ? Je n'ai jamais entendu une telle ineptie de toute ma vie !

Michael le regardait sans ciller, la bouche à présent sévère, l'air résolu.

– Ce n'est ni une absurdité ni une ineptie, mon oncle. J'ai la vocation. Je dois œuvrer pour Dieu.

Sur le chemin du retour, alors qu'ils marchaient bras dessus bras dessous sur le sol inégal de l'allée, Robert relata à Grace la conversation qu'il avait eue avec Michael.

– Rien à faire pour le dissuader, dit-il avec agacement. C'était comme si je parlais dans le vide ! Je comprends que la pauvre Brenda se fasse un sang d'encre toute la journée.

Grace resta un moment songeuse.

– J'imagine qu'elle finira par s'en remettre, dit-elle. Comme tous les parents. Les enfants ne restent pas éternellement petits, on n'y peut rien. En grandissant ils se font leurs propres idées du monde et nous devons les laisser vivre à leur façon.

Robert garda le silence, mais une pensée dérangeante s'insinuait dans sa tête et lui faisait froncer le sourcil. Il savait que Grace avait raison, bien sûr. Il l'avait toujours su. Mais il avait fait l'autruche, refusé d'affronter l'idée que ses filles puissent prendre un jour des décisions qui l'écarteraient de leurs vies. Il reconnut soudain dans la peur qui lui nouait les tripes la cause de son animosité injustifiée envers le jeune Michael. Il frissonna sous l'effet d'un pressentiment sinistre et dit d'une voix rauque d'inquiétude :

– Où sont les enfants, aujourd'hui ? C'est un jour de congé, alors pourquoi ne sont-elles pas avec nous à la maison ? Je ne les vois presque plus jamais.

Grace lui jeta un regard inquiet et lui serra le bras instinctivement, comme si c'était à elle de le soutenir et non l'inverse. L'espace d'un instant, il lui avait semblé entendre un vieil homme.

28

New Market

PAR UN SAMEDI après-midi de la fin novembre, Karam et Paddy, vêtus de pulls légers, roulaient dans Free School Street, en route pour New Market. L'air était doux et frais, le soleil avait pris des tons de miel. C'était un jour parfait et une véritable bénédiction après la chaleur torride, si éprouvante, de l'été.

Paddy s'était portée volontaire pour aller chercher les ingrédients nécessaires à la bonne dizaine de gâteaux de Noël que Grace et Ayah confectionnaient chaque année avant de les confier au four professionnel de Mahmud le boulanger, qui rendait ce service aux Ryan depuis toujours.

Grace avait accepté volontiers la proposition de Paddy.

– Merci, ma chérie. Quel bonheur d'avoir des filles adultes. Vous allez bientôt pouvoir laisser votre pauvre vieille Maman se reposer, avait-elle dit dans un clin d'œil étincelant à Paddy qui, admirant la peau sans rides de sa mère, avait protesté en riant :

– « Pauvre » et « vieille », ça ne te concerne pas, Maman, allez, donne-moi ta liste.

Karam avait rabattu le toit de la décapotable et Paddy lui montrait du doigt les boutiques intéressantes qu'ils croisaient tandis que la petite voiture roulait à bonne allure par les rues.

– Là, c'est chez Kalman, où l'on trouve les meilleures assiettes anglaises, et juste à côté, Braganza, là où Papa a acheté le piano de Shirley. Ils ont un accordeur qui vient tous les trois ou quatre mois chez nous.

Elle se mit à rire en regardant les deux enseignes contiguës, incontestablement peintes par le même artisan si bien qu'elles semblaient n'en former qu'une.

– Quand j'étais petite, je lisais d'un trait « Jambons Pianos à Queue » et je me disais que ça devait être la boutique la plus excitante du monde !

Ils se garèrent devant la façade imposante de New Market (« nouveau » marché depuis près d'un siècle !) et Paddy fit pénétrer Karam dans l'allée aux fleurs, bordée de jardinières de roses, de glaïeuls, de chrysanthèmes, de soucis, d'œillets et de nombreuses autres variétés de fleurs, où elle aimait se promener en humant l'air embaumé.

– Salaam, Paddy-*baba* ! Pas de fleurs aujourd'hui ? s'enquit l'un des boutiquiers, et Paddy lui sourit en faisant non de la tête.

– C'est le fleuriste de Maman, précisa-t-elle à Karam.

– Dis-moi un peu, Paddy, est-ce qu'il y a des gens à Calcutta que tu ne connais pas ? s'émerveilla Karam.

– Ils ne sont pas nombreux, lui répondit-elle dans un grand sourire. Je suis née ici, j'ai grandi ici. C'est ma ville et je l'aime. Tout entière ! dit-elle en virevoltant bras grand ouverts dans l'allée.

Au virage suivant sur la droite, ils se retrouvèrent dans l'allée principale du marché où l'on pouvait se procurer pratiquement tout ce qui existait sous le soleil, des valises aux épingles de sûreté, en passant par les saris et les casseroles ; viande, volaille et poisson, plumes d'oiseaux, chemises de nuit, légumes ; joaillerie d'or et d'argent, bandes dessinées de Superman, gâteaux, chaussures et bonbons à la menthe. Pour Paddy, cet endroit était digne de figurer au nombre des merveilles du monde.

Ils gagnèrent l'arrière du marché, où l'on vendait les fruits secs, dépassant, au centre, le canon dont Paddy expliqua à Karam qu'il avait été rapporté d'Afrique du Sud un bon demi-siècle auparavant, après une victoire de l'armée anglaise.

– Sur les... Bores, ou quelque chose comme ça, dit-elle, incertaine.

Le programme d'histoire des établissements indiens n'abordait pas l'histoire africaine, mais Karam, qui avait étudié en Angleterre, comprit immédiatement de qui il s'agissait.

– Les Boers, la guerre des Boers, dit-il en faisant le tour du canon avec grand intérêt. Ça alors !

Lorsqu'ils eurent effectué toutes les courses notées sur la liste de Grace, ils s'en retournèrent en flânant vers l'entrée, leur porteur derrière eux, un panier sur la tête. Soudain Paddy s'arrêta et s'exclama :

– Si on allait dire bonjour à l'oncle David ? Ça ne t'ennuie pas ? J'aimerais bien te le présenter.

Glissant sa main dans celle de Karam, elle le conduisit à la confiserie Nahoum. La boutique ne désemplissait jamais, mais la ruée de Noël donnait à son activité des proportions frénétiques. L'endroit était fréquenté par les Anglaises et les Anglo-Indiennes, bien sûr, mais on y rencontrait aussi bon nombre de gentlemen bengalis traditionalistes habillés en *kurta* et *dhoti* aux plis soigneusement repassés, achetant de larges quantités de cakes, de tartelettes de Noël aux fruits secs et de massepain. Dans les familles bengalies aisées, c'était le patriarche qui se chargeait d'acheter les spécialités culinaires et le poisson ; les femmes étaient exemptées de ces tâches.

À Calcutta, où tout le monde fêtait Noël – chrétiens, hindous, musulmans, et même les juifs –, personne ne trouvait bizarre que les meilleurs gâteaux de Noël de la ville soient l'œuvre de Nahoum, un pâtissier juif.

Ce jour-là, comme Paddy s'y était attendue, la boutique était bondée. David Nahoum, un vieux monsieur assis derrière une large table en bois griffée de cicatrices, distribuait des instructions aux employés affairés, encaissait, rendait la monnaie. Paddy se dirigea directement vers lui, remorquant Karam.

– Bonjour, oncle David !

– Paddy ! s'exclama ce dernier, un sourire rayonnant aux lèvres. Ça me fait plaisir de te voir, petite. Ta maman va bien ? Qu'est-ce que je peux te faire servir ?

Paddy lui présenta Karam et demanda une douzaine de *brownies*. Les vendeurs étaient soumis à un rythme si intense qu'il leur fallut attendre plusieurs minutes avant de récupérer leur commande emballée.

– Ce type, là-bas, qui n'arrête pas de me regarder, tu le connais ? demanda Paddy en poussant légèrement Karam du coude.

Karam chercha des yeux celui dont elle parlait et vit un homme du même âge ou légèrement plus âgé que lui, aux traits agréables et aux cheveux brillantinés, vêtu lui aussi d'un pantalon, avec une tendance à l'embonpoint. Il regardait Paddy fixement.

– Je ne l'ai jamais vu. Ignore-le, c'est juste un crétin parmi d'autres.

Il tourna ostensiblement le dos à l'homme en pensant avec un sourire narquois : « Je ferais mieux de m'y habituer ; où qu'on aille, les gens regardent Paddy et ça peut se comprendre ! »

L'étranger, cependant, n'entendait pas se laisser ignorer. Il s'avança droit vers eux, ses paquets dans une main, et tendit l'autre à Paddy :

– J'ai entendu Mr Nahoum qui vous parlait tout à l'heure. Il vous a appelée Paddy. Ne seriez-vous pas la fille de Robert Ryan ? Je travaille à Barton Ferne. Mon nom est Ronen, mais vous pouvez m'appeler Ronnie.

Paddy lui serra la main avec un sourire amical.

– Mais comment saviez-vous que c'était moi ? demanda-t-elle, intriguée. Je ne suis sûrement pas la seule Paddy au monde !

– Certes non, sourit Ronen, mais je vous ai vue en photo sur le mur du bureau de Peter Wilson. Une photo de groupe prise lors du dernier pique-nique du bureau au bord de la rivière, juste avant que j'arrive à Barton Ferne. On y voit aussi votre mère et votre sœur. Peter a attiré mon attention sur votre famille. Puis-je vous inviter, vous et votre ami, à boire un café glacé chez Fernando, juste au tournant en sortant d'ici ?

Paddy, cependant, venait de comprendre qu'il s'agissait du fameux Ronen ou Ronnie que son père détestait tant. Elle prétexta une obligation, se prétendit en retard et, tirant Karam par la main, l'entraîna à vive allure. Derrière eux, le porteur trottinait pour ne pas les perdre de vue.

Ronen les regarda s'éloigner à regret. Il enviait le couple qu'ils formaient manifestement, main dans la main, heureux de parcourir la ville ensemble, comme jadis Peggy et lui. À présent, il avait beau être marié, il restait un homme seul. Avec Rîla, il ne pouvait être question de compagnonnage. Elle préférait de loin passer son temps avec ses sœurs ou avec son libidineux Benu *mama*.

Il se rappelait le moment où Peter lui avait présenté un à un les membres du personnel et de leurs familles en les désignant sur la grande photo accrochée derrière sa chaise. Il avait été frappé par la beauté des femmes Ryan.

– Autant que vous fassiez leur connaissance à tous, Ronnie, vous serez le prochain grand *saab* du service après mon départ, avait-il dit sur le ton de la plaisanterie. J'espère que Rîla n'a pas le mal de mer comme Alice. La pauvre, elle n'a jamais pu participer à ces pique-niques à cause du trajet en steamer et du coup, elle n'a rencontré personne du bureau, ce qui est encore plus dommage.

Ronen avait à peine prêté attention à la déclaration qui confirmait sa future promotion dans l'entreprise. Depuis qu'il avait vu la famille de Ryan sur la photo du pique-nique, la pensée le traversait malgré lui que c'était le genre de famille, heureuse, unie, qu'il avait rêvé de fonder avec Peggy. Bien sûr, il ne se serait pas contenté de deux filles. Sous cet aspect, Anglais et Anglo-Indiens étaient semblables, ils ne paraissaient pas se formaliser quand ils n'engendraient pas de fils. Les familles hindoues respectables ne voyaient pas les choses de cet œil. Un fils était essentiel, non seulement pour perpétuer le lignage, mais également pour allumer le bûcher de son père afin que son âme puisse trouver le repos. Les gens comme Ryan et comme le père de Rîla, de ce point de vue, étaient bien à plaindre.

Mais Peggy, ô Peggy, comment avait-elle pu lui faire ça ?

Il s'arracha avec effort à ses pensées. Il était vain de ruminer le passé, après la façon dont Peggy l'avait trahi. En Angleterre, lors de son dernier congé, il avait failli céder à l'impulsion de prendre le train pour Pinner, d'aller voir Peggy et de lui demander simplement : « Pourquoi ? » Dieu merci, le bon sens avait triomphé. Il avait évité de se couvrir de ridicule.

29

Noël 1960

AYAH avait enrôlé Arun, le garçon somnambulique
chargé de s'occuper de la voiture, pour aider aux
préparatifs de la maison en vue des festivités de Noël.
Ils avaient besogné tous deux pendant plusieurs jours,
elle à la cuisine à préparer le bœuf salé et la langue qui
devaient être servis à la soirée « maison » de Grace et à
fabriquer le légendaire vin de pomme de son cru que tout
le monde aimait, et Arun, à frotter le sol du salon, à battre
le tapis et à cirer les meubles pour leur donner un doux
poli.

Robert, Grace et les filles avaient décoré l'arbre de Noël
qui se dressait fièrement dans son coin, étincelant de boules
et clignotant de lumières. Sur le buffet, des gerbes de fleurs
fraîches artistement arrangées par Shirley débordaient de
vases assortis à leur contenu. La table disparaissait sous
une profusion de plats, bœuf salé en tranches, cakes, tartelettes, friands à la saucisse, bouchées de massepain de
Nahoum dans un grand bol, nougatines au chocolat de
Flury. Grace avait hésité à laisser Ayah parfumer l'air à
l'encens, coutume *autochtone* s'il en était, mais elle avait
cédé devant son insistance – « Si bonne odeur, Mem Saab,

répand bien » – et avait été rassurée en voyant Robert
humer l'air avec plaisir.

– Hum, il y a quelque chose qui sent bon, par ici !

Le matin, ils avaient échangé les cadeaux, ouvert les
paquets envoyés par Maud par bateau et arrivés trois
semaines plus tôt. La lettre d'accompagnement expliquait
que l'affranchissement coûtait moins cher quand on n'attendait pas la dernière minute, car il n'était alors pas nécessaire de recourir au courrier par avion. Robert avait été
touché par les attentions de sa sœur envers lui et les siens.

– Elle travaille si dur, vous savez, et elle doit tout faire
elle-même. Pas de domestiques pour l'aider, et malgré tout,
elle trouve le temps de penser à nous !

Maud avait envoyé à Robert un beau pull bleu qu'il
enfila aussitôt en remplacement de celui qu'il portait, et à
Grace un cardigan jaune moutarde dont elle décida par-
devers elle de doter Ayah sitôt que Robert aurait le dos
tourné. Dans sa lettre, Maud expliquait que les vêtements
venaient de Marks & Spencer, le grand magasin dans lequel
elle travaillait, synonyme de qualité optimale. Pourtant les
étiquettes cousues à l'intérieur indiquaient « St Michael's »,
détail surprenant, mais sur lequel Robert déclara qu'il n'y
avait pas lieu « d'ergoter à n'en plus finir ». Les filles
avaient reçu chacune une paire de bas qu'elles mirent de
côté pour l'Angleterre, si jamais elles y allaient un jour.

S'ajoutait aux cadeaux une de ces boîtes de biscuits
Huntley & Palmer qu'on ne trouvait plus en Inde depuis
plusieurs années et que Robert décida d'ouvrir sur-le-
champ. Hélas, les gâteaux secs n'avaient pas supporté le
voyage en mer, trop long, trop chaud. Ils découvrirent
une pâte visqueuse brun clair dans laquelle Paddy enfonça

une cuiller avant de se précipiter à la salle de bains pour cracher. Ils décidèrent d'un commun accord d'offrir le reste en festin de Noël aux chiens errants du voisinage.

Ayah accepta timidement des mains de Robert le montant généreux qu'il lui remit comme chaque année en étrennes. Apurru fut gratifié de la même somme et offrit à Grace un énorme plat de ses fameux caramels à la noix de coco, recouvert de son plus beau napperon de dentelle. Toute la famille en prit un, et Robert déclara qu'ils étaient toujours aussi bons, sinon encore meilleurs que d'habitude. Lorsque Gussy se présenta en faisant résonner son klaxon dans l'allée, Grace descendit recevoir ses meilleurs vœux et lui donner sa prime annuelle, du même montant que celle d'Arun.

Le lendemain verrait venir le facteur, le livreur de journaux, le *dhobi* et le *pinman* attitré des Ryan. Grace avait glissé des petites sommes d'argent pour chacun d'eux dans des enveloppes qu'Ayah leur remettrait. Ce point était important, il lui donnait autorité sur des subalternes qui, en conséquence, lui obéissaient au doigt et à l'œil. Le rituel des pourboires et des gratifications jouait un rôle essentiel dans la vie sociale de Calcutta, entretenant l'ordre hiérarchique établi sur lequel la ville s'appuyait pour fonctionner.

Grace prenait grand plaisir aux festivités. Robert n'avait pas été aussi détendu et heureux depuis bien longtemps à Noël. Sa morosité l'avait quitté, il ne broyait pas du noir, menaçant de gâcher l'instant par un accès de colère. Il était l'homme qu'il avait été avant d'être happé par l'obsession de rentrer au pays, avant l'Indépendance. Charmant et plein d'entrain, il encouragea les filles à se permettre quelques libertés, siffla des chants de Noël en préparant le punch au rhum, envoya les quatre femmes de la maison presser de toute urgence les citrons verts dont il avait besoin, doser le sucre brun, plonger les clous de girofle et les bâtons de cannelle dans l'eau chaude, couper le gingembre en fines tranches – une innovation de son cru pour « ajouter du punch au punch », dit-il en rugissant de rire à sa propre plaisanterie. Bref, il fut de la meilleure humeur que Grace lui connaissait. Elle n'avait pas la moindre idée de ce qui avait entraîné cette métamorphose, mais elle n'en était pas moins reconnaissante à Dieu. Peut-être avait-il abandonné l'idée de rentrer au pays, se dit-elle, songeuse. « Oh Jésus, je vous en prie, faites que sa bonne humeur persiste… »

– Comme tu as l'air heureux, aujourd'hui, Rob ! lui dit-elle, espérant aiguiller la conversation vers la cause de ce bonheur.

Il virevolta vers elle, la saisit dans ses bras et lui appliqua un baiser sonore sur la bouche avant de la relâcher.

– Bien sûr que je suis heureux ! s'exclama-t-il dans un sourire fendu jusqu'aux oreilles. J'ai la plus belle épouse, les plus jolies filles du monde et c'est l'anniversaire de notre Sauveur Jésus-Christ. On le serait à moins !

Puis, se tournant vers Shirley et Paddy qui pouffaient en l'écoutant :

– Arrêtez de rire, vous deux ! Buvons un verre de vin de pomme avant que les invités débarquent en masse. Quand ils seront là, nous n'aurons même pas le temps de nous retourner.

Leurs verres à la main, debout côte à côte en un groupe compact, elles attendirent que Robert porte le toast. Il leva très haut sa coupe et déclara :

– À nous, les Ryan, et à notre retour au pays !

Son ton était étrangement exalté, et Grace le regarda de biais à travers ses cils, mais elle n'eut pas le temps de dire un mot. On avait sonné à la porte et déjà les premiers invités entraient.

30

La fête « maison »

L E SALON se remplissait progressivement, tout comme
le pied du sapin sous lequel chaque invité déposait
ses cadeaux aux emballages multicolores pour les Ryan.

Rhett, le frère d'Armand, flirtait avec Paddy. Il lui mur-
murait à l'oreille Dieu sait quelle boutade qui la faisait rire,
tandis que Dougie McKenzie tournait autour d'eux tel un
requin dans l'attente de son tour. Ce tableau réjouissait
Grace : si elle avait organisé cette réception « maison »,
c'était avant tout pour mettre Paddy et Shirley en contact
avec de jeunes prétendants anglo-indiens potentiels.
Charles, son chevalier servant et admirateur de toujours,
devait se contenter d'une fraction de son attention, tandis
qu'elle tenait ses filles à l'œil. Il ne lui avait pas échappé
que Paddy jetait de fréquents regards à la petite montre
en or qui ornait son poignet, un cadeau de Noël de son
père, et qu'en dépit des efforts de Rhett et de Dougie
pour la distraire, ses yeux fondaient sur la porte chaque
fois qu'on sonnait.

Grace se tenait sur la véranda où les invités avaient
débordé, passant des plats de gâteaux, échangeant quelques

mots avec la malheureuse Brenda Shaw, toujours chagrine en pensant à la défection de son fils.

– J'aime Jésus, bien sûr, mais c'est dur de penser que mon fils le préfère à moi, surtout le jour de Noël, disait-elle, quelque peu illogique, à Grace, quand Paddy s'approcha tout excitée de sa mère, tirant par la main un grand et beau jeune homme à travers la foule.

– Maman, je te présente Karam ! dit-elle.

Grace capta la note d'amour et de fierté qui s'était glissée dans sa voix en prononçant ce nom et son cœur se serra en remarquant combien le sourire qu'ils échangeaient était intime. Déjà Karam était près d'elle et lui serrait la main d'une poigne ferme, dans une inclinaison polie de la tête.

– Joyeux Noël, madame, dit-il chaleureusement en lui souriant de ses yeux mordorés. J'étais impatient de faire votre connaissance. Merci de m'avoir invité ce soir.

« Comme il parle bien, se dit Grace en répondant à son salut. Pas du tout comme un Indien ! Et quel bel homme ! » Elle coula un œil en direction de Paddy qui rivait sur Karam un regard plein d'adoration, et son cœur se serra encore plus fort.

Paddy entraîna ensuite Karam pour le présenter à son père. Grace sourit distraitement à Brenda et poursuivit avec elle une conversation polie tandis que ses pensées tournoyaient frénétiquement dans sa tête. « Paddy est vraiment amoureuse de lui. Quelle tourmente cela nous promet ! Que va dire Robert ? Qu'allons-nous faire ? »

Le désarroi de Robert ne fut pas moins grand lorsqu'il fut présenté à Karam. Il s'était imaginé l'ami indien de Paddy en adolescent gringalet qu'il aurait expédié d'une pichenette dans les cordes pour avoir osé porter le regard sur la fille de Robert Ryan. La réalité était beaucoup plus dérangeante.

L'Indien qu'il avait devant lui n'était pas un jeune mal dégrossi, mais un adulte plein d'assurance, qui s'exprimait bien, d'une famille de toute évidence aisée, et qui dissimulait derrière une façade policée une nuance troublante de curiosité amusée à son égard. C'était presque comme si ce type le regardait de haut, lui, Robert Ryan ! Avec, qui plus est, une subtilité qui l'empêchait de déceler quoi que ce soit de répréhensible dans ses mots ou dans ses gestes. Il était au contraire poli à l'extrême. Quant à Paddy, elle semblait complètement entichée de ce type, pendue à sa main, lui touchant la joue, incapable de détacher son regard de lui et se conduisant, pour tout dire, d'une façon dégoûtante. Robert sentit le ver de la jalousie se tortiller dans son estomac.

Shirley avait attendu que les invités les plus guindés soient partis pour s'asseoir au piano et jouer des chants de Noël aux proches de la famille. L'assemblée se déplaça sur la véranda et s'attroupa autour du piano. Karam en était. Robert le regarda en fronçant le sourcil. Qu'est-ce que cet enfoiré d'Indien pouvait bien connaître aux chants de Noël ?

Il faillit tomber à la renverse en entendant peu après Karam demander à Shirley :

– On chante « Nous, les Rois Mages » ? Je serai un des trois, Armand peut en faire un autre et... qui veut faire le troisième ?

Tout en posant la question, il interrogeait les invités du regard. Lorsque Ian Carter se proposa dans le rôle du troisième Mage, Shirley se mit à jouer.

Il fut bientôt évident que Karam savait chanter d'une belle voix de ténor, de loin la plus belle voix de l'assemblée avec Shirley. À la question de Grace qui s'en étonnait, il répondit qu'il avait fait partie d'une chorale dans son école en Angleterre et reconnut avec modestie qu'il savait aussi jouer « un petit peu » du piano. Shirley, ravie de l'apprendre, le fit asseoir à côté d'elle sur le tabouret et ils interprétèrent en duo une succession de mélodies sur lesquelles tout le monde chanta.

Irene, la femme de Ian Carter, poussa Robert du coude :
– Qu'il est beau ! Et il chante comme un ange ! Où avez-vous donc déniché cette merveille ? En plus, il a de l'humour. Il a promis de montrer à Ian un truc drôle qu'il a fait subir au moteur de sa voiture. « Gonflé » ou « gaufré », il a dit, je n'ai pas très bien compris. La prochaine fois que vous venez à la maison, amenez-le ! Je l'aime bien.

Paddy debout, en appui contre le piano, regardait Shirley et Karam chanter et jouer, assis sur le même tabouret. Ses yeux étincelaient de joie devant le duo que formaient les deux personnes qu'elle aimait le plus au monde.

Après le départ des derniers invités, Grace balaya du regard le salon et la véranda. Les deux pièces étaient dans un désordre indescriptible, le tapis était jonché de miettes, et sur chaque surface plane au-dessus du sol s'étalaient des serviettes de papier froissées entre les verres sales.

Ayah était partie se coucher depuis longtemps après avoir mis les restes de côté. Grace venait d'envoyer les filles dans leur chambre. Elle ramassa les verres deux par deux et les déposa sur la table en vue de la vaisselle du lendemain, tout en se disant que sa petite réception avait été un succès. Les invités étaient restés plus tard qu'elle

s'y était attendue et, si elle regardait la situation honnê-
tement, elle devait admettre que c'était largement grâce à
la présence de Karam.

Ce jeune homme avait été l'âme et le piquant de la
soirée, se dit-elle, et elle n'était pas surprise qu'il ait gagné
instantanément le cœur de tous leurs amis, ceux de Robert
comme les siens propres. Son charme, la noblesse de son
maintien et sa modestie naturelle, combinés avec une
courtoisie désuète et un esprit vif-argent, faisaient de lui
un homme extrêmement séduisant. Elle ressentait cette
attraction elle-même, ayant passé d'excellents moments en
sa compagnie, et ses inquiétudes à son propos s'étaient
évaporées. Rien d'étonnant à ce que Paddy soit tombée
amoureuse de lui ! Qui aurait pu le lui reprocher ?

À ce moment, elle entendit la voix de Robert qui
l'appelait :

– Grace ? Tu viens ?

– J'arrive ! s'écria-t-elle, abandonnant ses tentatives de
remise en ordre du salon.

Ayah s'en occuperait le lendemain.

31

Robert

R OBERT, en pyjama, l'attendait dans la chambre.
– C'était une belle fête, non ? dit-elle en entrant. Je
me suis bien amusée. Et toi ?

– J'avais hâte que tout le monde s'en aille ! J'ai quelque
chose à te dire, mais je ne pouvais pas le faire devant les
filles et tu ne dois pas leur en parler non plus.

Elle lui adressa un regard interrogateur.

– Ça y est ! J'ai trouvé comment faire pour rentrer au
pays en rapatriant nos économies. Je l'ai appris hier en fin
d'après-midi. Je mourais d'envie de te prévenir, mais avec
toute cette bousculade, je n'aurais pas réussi à te parler
seul à seule. Et puis, j'ai pensé que ce serait le plus beau
cadeau de Noël que je puisse te faire si j'arrivais à tenir
ma langue jusqu'à ce soir.

Elle l'écoutait, médusée. Il était allé au garage de Gaspar
pour faire réviser sa voiture dont le moteur tournait avec
un léger cliquetis qui ne lui disait rien qui vaille. Pendant
que le mécanicien examinait le problème, il avait admiré
un modèle de Hillman de l'année passée – ce qui, pour
les critères en vigueur à Calcutta, faisait d'elle un véhicule

neuf – exposée devant l'atelier, une affiche « à vendre » collée sur son pare-brise.

Autour d'une tasse de thé, le garagiste lui avait appris qu'elle appartenait à un Anglo-Indien qui émigrait au Canada. Intrigué, Robert lui avait fait part de son propre désir de quitter l'Inde et demandé comment ce client faisait pour partir avec ses économies. Gaspar le savait, et quand il en avait confié la méthode à Robert, ce dernier s'était étonné de ne pas y avoir pensé plus tôt. La solution était d'une simplicité enfantine.

Il lui suffisait, expliqua-t-il d'un ton exalté, de retirer toute son épargne de la banque et d'acheter autant d'antiquités qu'il en avait les moyens : bureaux, écritoires, vases chinois, tapis. Victor Menezies serait sans doute de bon conseil pour l'aider dans sa démarche. Puis il faudrait les envoyer en Angleterre par bateau sous l'étiquette d'effets personnels. Une fois arrivé à destination, il contacterait des antiquaires pour leur vendre ces objets. Rien de plus simple !

Grace était stupéfaite.

– Tu veux dire qu'on va vraiment pouvoir partir au pays ? dit-elle, dissimulant son désarroi et comprenant en même temps pourquoi son mari avait été d'aussi belle humeur toute la journée.

– C'est exactement ce que je veux dire. Nous y serons l'été prochain si je peux boucler les démarches avant juin. N'est-ce pas merveilleux ?

– Oui, merveilleux, répéta Grace mécaniquement. Je vais devoir prévenir Ayah pour qu'ils puissent tous les deux...

– Non, non, pas un mot à qui que ce soit ! Je suis sérieux, Grace. Ni à Ayah, ni aux enfants, ni même à Irene ! Rien, jusqu'à ce que l'affaire soit dans le sac, bien ficelée. Je vais d'abord en parler à Victor sous le sceau du secret et, après le Nouvel An, j'irai trouver le vieux Mullick, le chef comptable, pour qu'il me dise à combien se montent mes acquis en additionnant mes arriérés de congés, mes bonus et mon pécule de retraite quand je donnerai ma démission.

– Mais les enfants ? On ne peut pas ne rien leur dire ! protesta Grace. Et Paddy, qui est tellement éprise de ce Karam…

– Enfin, Grace, un peu de réalisme ! Paddy n'est qu'une enfant. Aussitôt qu'elle apprendra qu'elle part pour l'Angleterre, toute cette histoire sans queue ni tête avec l'Indien lui sortira de la mémoire. Karam ! Je t'en ficherai ! Mais je ne veux pas qu'elles sachent avant que tout soit scellé. Ça ne ferait que les déstabiliser. Promets-moi que tu ne diras rien !

Elle promit, et Robert finit par s'endormir, enfin heureux, mais Grace resta éveillée des heures durant en pensant aux implications de ce secret et ne sombra dans un sommeil troublé qu'aux premières heures du jour.

32

Ayah

ON ÉTAIT au milieu du mois de mars et la chaleur commençait à montrer des signes de férocité. On ne pouvait déjà plus rester longtemps à l'extérieur, mais à l'ombre, ou à l'intérieur sous les ventilateurs, on se sentirait bien encore quelques jours, une semaine peut-être.

Le vingt-cinquième anniversaire de Karam approchait. Il s'était rendu dans sa famille à Bikaner, où l'attendaient pour signature les documents par lesquels il allait rentrer officiellement en possession de son héritage. Il devait aussi, comme il en avait informé Paddy en termes plutôt vagues, « discuter un certain nombre de choses » avec ses parents et les notaires.

Shirley était partie travailler au Prince et ce soir-là Robert et Grace dînaient chez l'oncle Victor. Paddy s'était attendue à les accompagner, comme d'ordinaire lorsqu'ils allaient voir leurs amis, mais d'après Grace, il avait invité un petit nombre de gens dont la conversation autour de sujets graves l'ennuierait. Passé le moment de surprise, Paddy s'était résignée avec plaisir à passer la soirée dans son livre, à se laisser distraire par les échanges hilarants de Lord Emsworth et de son jardinier Angus McAllister, maniaque de la monosyllabe.

Elle n'avait pas lu plus de quelques pages qu'Ayah venait la trouver dans sa chambre et s'asseyait en tailleur sur le tapis sous le ventilateur. Paddy fut auprès d'elle d'un bond, assise, jambes tendues, adossée au pied du lit.

Ayah engagea la conversation en hindoustani, ce mélange de hindi et d'ourdou qui servait de lingua franca aux non-Bengalis de Calcutta et que Paddy, comme Shirley, parlait couramment. En tant qu'Anglo-Indiennes, elles n'avaient pas connu les rigueurs du niveau supérieur de hindi. Elles avaient été obligées d'en étudier le niveau basique jusqu'en troisième. Ensuite, elles avaient pu choisir, à leur grand soulagement, de supprimer cette langue de leur programme en vue des examens « Senior Cambridge » de fin d'études secondaires. Faute de quoi, Shirley n'aurait jamais été reçue et Paddy n'aurait certainement pas obtenu la mention très bien dont ses parents étaient si fiers.

– Alors, dit Ayah, concentrée sur la chique de bétel qu'elle était en train de se préparer, ce garçon, il s'appelle Karim ?

– Karam, corrigea Paddy en acceptant le morceau de noix d'arec qu'elle lui tendait, puis elle se mit à le ronger, trouvant son goût âpre plutôt agréable.

– Ah, Karam ! Il est donc hindou, pas musulman. Je me trompe ?

– C'est vrai.

– Et c'est sérieux, pour toi ? Pas juste une aventure pour passer le temps ? Il va être mon *damaad* ?

Paddy sentit la chaleur lui monter aux joues en entendant le mot qui signifiait gendre en ourdou, mais elle répondit en regardant Ayah droit dans les yeux :

– Oui, je veux l'épouser.

Ayah mâchait son bétel pensivement en observant ce regard, et ce qu'elle y voyait la rassurait. Elle se pencha vers Paddy et lui caressa la joue avec affection.

– Paddy *baba*, si tu es heureuse, je suis heureuse aussi, dit-elle. Ton Papa est au courant ?

Paddy secoua la tête. Non.

– Et ta Maman ?

Même réponse muette.

– Ah !

Ayah rumina cette information durant quelques minutes. Paddy la regardait en silence, un peu inquiète. Enfin, Ayah sembla être parvenue à une décision. Elle attira Paddy vers elle et, posant la tête de la jeune fille sur ses genoux, elle se mit à lui caresser les cheveux de sa main rugueuse, exposée aux travaux ménagers.

– Tu es mon enfant, dit-elle. Je t'aiderai. Demain, ta maman et ton papa sortent de nouveau pour dîner. Tu amèneras ton Karam ici et je lui parlerai.

– Pas demain, Ayah. Il est parti chez ses parents, loin de Calcutta. Mais quand il reviendra, je le ferai venir et je te le présenterai. Cela lui fera plaisir. Je lui ai beaucoup parlé de toi, et d'Apurru.

Paddy se sentit instantanément soulagée d'avoir enfin confié ses intentions à un adulte confirmé et de voir sa décision acceptée. Le fardeau du secret qui pesait sur ses épaules se dissipa. En une demi-heure, Ayah avait fait monter des profondeurs de son cœur des sentiments auxquels ses parents n'avaient jamais pu accéder. Elle embrassa sa nounou sur la joue avec gratitude. Ayah frotta soigneusement ses lèvres rougies par le bétel contre le pan de son sari, puis lui rendit son baiser.

33

Karam

–Paddy *baba*, tiens-toi tranquille ! ordonna Ayah en ajustant les plis du sari de soie bleu à la taille de la jeune fille.

Plusieurs semaines auparavant, Paddy avait demandé à Abdul de sortir le vêtement des profondeurs de l'armoire de Karam où il l'avait rangé dans son papier d'emballage. Elle l'avait rapporté à Ayah, qui avait acheté un jupon de même couleur et fait confectionner un corsage bleu par le petit tailleur du bas de la rue. Au bout de plusieurs répétitions durant lesquelles elle s'était tenue debout, assise et avait arpenté sa chambre en tentant d'accorder sa démarche au drapé du sari en contact avec son corps, Paddy s'était habituée à le porter.

Elle aimait l'image qu'il lui rendait d'elle :

– J'ai l'impression de glisser sur l'eau, d'être séduisante et féminine ! s'exclama-t-elle en ondulant des hanches pour faire se balancer les plis, admirant sa taille fine.

Lorsqu'elle chercha à abaisser le vêtement plus bas sur ses hanches, elle reçut une tape sur la main. Pour Ayah, exposer fût-ce un centimètre carré de peau au-dessous du nombril relevait de l'indécence.

Shirley, à plat ventre sur son lit, le menton dans ses mains, regardait, fascinée.

– Tu es ravissante là-dedans, Paddy ! Ça te va à merveille. Et ça te fait une taille de guêpe.

Elle rejeta ses cheveux en arrière avec un grognement.

– Moi aussi, j'aimerais bien porter le sari. Si seulement Papa pouvait être un peu moins... moins...

– Antédiluvien, compléta Paddy dans une grimace. Heureusement que Maman a bien voulu jouer le jeu en l'emmenant au club. Je ne veux pas l'affronter à ce sujet, en tout cas pas ce soir.

Elle s'aspergea généreusement du parfum que Karam lui avait offert, puis vérifia le contenu de son sac à main : un peigne, son rouge à lèvres et l'étui à cigarettes en argent, dans son emballage-cadeau, qu'elle allait offrir à Karam pour son anniversaire. Elle avait fait graver ses initiales en bas à droite du couvercle. À l'intérieur, au-dessous de la date, on pouvait lire : *Pour Karam de la part de Paddy. Bon anniversaire, avec tout mon amour.*

– Shirl, viens vite, la voiture doit être là. Je ne veux pas être en retard pour Karam.

Shirley s'était proposée de la déposer au Blue Fox, dans Park Street, car Paddy avait refusé que Karam vienne la chercher, voulant lui faire la surprise d'arriver devant lui en sari au restaurant.

Karam, élégant dans un complet sombre, était attablé devant un whisky au Blue Fox, songeant aux événements des semaines passées. Entre les séances de signature des papiers établis par les notaires et le transfert des différents éléments de propriétés prévus pour lui revenir à ses vingt-cinq ans, il avait été engagé dans une lutte sans fin, épuisante, avec sa mère au sujet de Paddy. Il avait beau s'y être préparé, l'intensité de l'aversion à laquelle il s'était heurté l'avait rudement secoué.

Dès son arrivée dans le grand *haveli* de Bikaner où sa famille habitait pendant les mois d'hiver, il s'était ouvert de ses sentiments envers Paddy et de ses intentions de l'épouser. Sa mère avait refusé de jeter ne serait-ce qu'un coup d'œil à la photo qu'il avait apportée pour la lui montrer et qu'il aimait particulièrement.

– Pour moi, ça pourrait aussi bien être celle d'une domestique, avait-elle lâché avec un mépris glacial. Voilà le niveau auquel tu t'es abaissé, Karam, et auquel tu as abaissé ta famille !

La férocité de cette première salve avait bouleversé Karam, mais ce n'était qu'un début, un indice de l'atmosphère dans laquelle allait se dérouler son séjour. La situation avait empiré de jour en jour. Son père souffrant avait en vain réclamé de sa voix faible « un peu de paix, de grâce ». Lorsque sa sœur cadette, qui l'adorait, s'était accrochée à lui en pleurant, sa mère l'avait envoyée dans sa chambre avec ordre de ne pas s'associer à un renégat, un ingrat, dont la conduite ignoble mettait en danger ses perspectives de faire un mariage honorable.

En y repensant, Karam trouvait naïf d'avoir pu imaginer que sa mère se laisserait convaincre par son choix d'épouse. En bon produit de la Roedean School, du Girton College et d'une école suisse d'excellence pour la touche finale de son éducation, elle avait parfaitement conscience de ce qui était dû à sa famille au regard de son arbre généalogique, de sa richesse et de son statut social, et ceci excluait à coup sûr une bru anglo-indienne, qu'elle décrivait avec un rictus dédaigneux comme une arriviste répugnante, une bâtarde dont les ancêtres étaient sûrement les produits de la débauche d'un vulgaire troufion britannique.

Il ne s'était pas remis de tant de virulence. Il savait à présent qu'il lui faudrait épouser Paddy sans le consentement des siens. C'était une perspective pénible, mais il n'y pouvait rien. Ils devraient avoir un mariage civil et résider à Calcutta. Il ne pourrait pas l'emmener voir sa famille, ni à Bikaner ni à Nawabjung. Il ne l'exposerait jamais aux insultes venimeuses de sa mère.

Le sourire amer qui lui tordait les lèvres se dissipa d'un coup lorsqu'il entendit la voix de Paddy.

– Je donnerais cher pour connaître tes pensées, Karam. Quel courant ombrageux les agite ? Bon anniversaire, mon amour.

Levant les yeux, il découvrit une Paddy au sourire radieux, ravissante dans le sari bleu qu'il lui avait offert des mois plus tôt, moulée dans la soie qui tombait en plis gracieux jusqu'au sol. Cette vision adorable lui tendait un petit paquet dans un emballage-cadeau.

Il bondit sur ses pieds pour lui avancer une chaise.

– Princesse, tu m'as tellement manqué ! Il me suffit de te voir pour que toutes mes idées noires s'évaporent. Tu es magnifique, ma chérie ! C'était si difficile de vivre sans toi, je pouvais à peine le supporter.

Quand il eut ouvert l'étui à cigarettes en argent et lu l'inscription à l'intérieur, il passa les doigts sur les lettres gravées et demanda avec un soupçon d'hésitation :

– C'est vrai, Paddy ? J'ai tout ton amour ? Réellement ?

Il plongea ses yeux dans ceux de la jeune fille et l'honnêteté qu'ils reflétaient le rassura plus que sa réponse :

– C'est vrai, c'est réel, tu es tout pour moi, Karam. N'en doute jamais, mon amour.

Il inspira, le souffle court, soutenant son regard tandis que le serveur déposait les cartes devant eux. Il le congédia d'un geste.

– Si nous n'étions pas dans un endroit public, je tomberais à genoux pour le faire, mais tant pis, je te le demande malgré tout. Miss Patricia Ryan, dit-il en lui prenant la main, me feriez-vous l'honneur de m'épouser ?

Paddy posa la main de Karam sur sa joue, trop émue pour parler, tandis qu'il fouillait de l'autre la poche de son veston et en tirait une petite boîte recouverte de velours bleu.

– Ouvre-la, princesse, la pressa-t-il.

Paddy s'exécuta. Bouche bée, le souffle suspendu, médusée devant sa taille et son éclat, elle découvrit un solitaire niché dans l'écrin de satin blanc.

34

Ronen

RONEN, vêtu d'une *kurta* de soie légère à boutons de diamant tout le long du devant et d'un *dhoti* élégamment plissé, était avachi sur un sofa recouvert de satin chez son beau-père, rotant discrètement après l'excellent et copieux repas de fiançailles de Sharmila, sœur cadette de Rîla, que dans la famille on appelait Tuktuk.

Les hommes avaient mangé assis par terre selon la coutume, servis sur des feuilles de bananier. Les garçons de cuisine, dans un va-et-vient incessant, apportaient les divers éléments du festin dans de vastes seaux en inox et les prodiguaient à la louche aux invités, amoncelant les mets devant eux sans tenir compte de leurs protestations. Arrêter de servir un convive avant qu'il se lève eût été assimilé au comble de la pingrerie et aurait attiré l'opprobre sur son hôte. Quelle que soit la sincérité avec laquelle il se déclarait repu, la coutume et l'honneur voulaient que le serveur y fît la sourde oreille.

Ronen, en qualité de premier gendre de la famille, était placé à droite du père de sa femme et un traitement de faveur lui avait été réservé. Son beau-père avait fréquemment hélé le garçon de cuisine préposé au service de la viande, réclamant « Encore un peu de mouton pour Ronen *babu* ! » et l'engageant à manger :

– Encore un petit morceau, Ronen. Faites-le pour moi, pour rendre heureux le vieil homme que je suis.

Ronen, gourmand comme toujours de bonne nourriture bengalie, avait apprécié le menu à sa juste valeur et mangé beaucoup plus qu'à l'ordinaire. Le repas terminé, il avait été soulagé de pouvoir enfin se lever pour aller s'asseoir sur le sofa dans le vaste salon au mobilier un peu sinistre. C'était au tour des femmes de festoyer.

Le Benu *mama* de Rîla sembla envisager un moment de s'asseoir à côté du personnage important qu'il était manifestement dans la maison, mais Ronen, qui le méprisait et voyait en lui un vieux satyre dégoûtant, affecta d'être plongé dans ses pensées intimes, yeux baissés, sourcils froncés, dans l'espoir que l'autre comprendrait et le laisserait tranquille.

De fil en aiguille, la vue de Benu *mama* l'entraîna dans des réflexions sur l'éducation déplorable de Rîla et de ses sœurs. Que pouvait-on attendre de filles privées d'une mère qui leur aurait enseigné à bien se conduire ? Depuis la mort de celle-ci, Rîla faisait la loi dans la maison de son père, et en l'absence de toute supervision, elle était devenue – tout comme ses cadettes promettaient de le devenir – une femme manipulatrice, fourbe et volontaire qui riait trop fort et lançait des œillades à des hommes qu'elle aurait mieux fait d'ignorer. Le contraste qu'elle offrait avec les deux sœurs de Ronen, si modestes et si serviables, était frappant. Or celles-ci avaient eu une mère très attentive pour les éduquer à la discrétion dans leurs propos, leurs manières et leur allure. Heureusement, leurs maris et les familles de ces derniers n'habitaient pas Calcutta, se dit-il. Elles auraient été choquées, peut-être même corrompues, par leur belle-sœur.

Il se déporta légèrement sur le sofa pour faire de la place à Bipin, le fiancé de Tuktuk, qui s'approchait pour converser avec lui. Jeune homme fluet de vingt-deux ans, Bipin était en admiration devant Ronen dont il avait entendu parler en termes élogieux. Il était non seulement « assistant sur contrat » chez Barton Ferne, une des premières entreprises de Calcutta, mais en passe de prendre les commandes de son service après le départ de l'Anglais qui le dirigeait ! Et par-dessus le marché, diplômé d'une université londonienne !

Pour Bipin, tous ces mérites faisaient de Ronen l'égal d'un dieu. Le jeune homme, certes issu d'une famille brahmane honorable et bien établie, n'était qu'un simple licencié du Scottish Church College de Calcutta. Il avait récemment entamé sa carrière au bas de l'échelle dans une entreprise faisant commerce de thé.

Bien disposé envers le jeune Bipin qui manifestement l'adulait, Ronen répondait de bonne grâce avec force détails à ses questions et à ses observations, lorsqu'il éprouva le besoin irrépressible de lâcher un vent. Le copieux déjeuner exerçait un effet prévisible sur sa digestion. Il s'excusa et gagna les toilettes où il put desserrer la ceinture de son *dhoti* et apporter un soulagement à son ventre distendu par les gaz. En revenant, il faillit se cogner à Mangala, la *jhî* qui avait veillé avec tant d'affection sur les filles de la maison depuis la mort de leur mère, émergeant de la cuisine. Elle tira sur le pan de son sari pour s'assurer que sa tête était bien couverte et, baissant les yeux devant le gendre de la maison, cet important personnage, le salua en murmurant :

– *Nomashkar*, Ronen *babu*.

Ronen s'arrêta.

– *Nomashkar*, Mangala*ma*. Comment allez-vous ? lui demanda-t-il poliment.

Brusquement, il se figea. Il venait d'apercevoir au cou de Mangala une chaîne d'argent et un médaillon en forme de cœur identique, il l'aurait juré, à celui qu'il avait offert à Peggy en Angleterre, deux années plus tôt. Allons, il devait se tromper ! Comment cela aurait-il été possible ?

Tout en se reprochant son excès d'imagination, il rejoignit son beau-père et le groupe d'hommes qui évoquaient en secouant la tête les insuffisances du gouvernement, et notamment son incapacité à faire baisser le prix du poisson.

– Tous des profiteurs ! déclamait le vieil homme. Un de ces jours, il y aura une révolution, moi je vous le dis !

Il se tourna vers Ronen pour l'inclure dans la conversation, lui entoura les épaules d'un bras et déclara sur le ton de la confidence :

– Demandez donc à Ronen. Il comprend bien toutes ces choses. Il a un diplôme de Londres, vous savez.

Ronen était trop distrait pour saisir la balle au bond. Après avoir marmonné deux ou trois phrases incohérentes sur la nécessité que le gouvernement « se réveille » et « sévisse » auprès des rapaces et des intermédiaires, il décida de retourner voir le médaillon et celle qui le portait au cou pour en avoir le cœur net.

– Mangala ! Oh, Mangala*ma* ! s'écria-t-il en marchant vers la cuisine. Je voudrais un verre d'eau. Bien fraîche !

Mangala apparut aussitôt, tenant une timbale en inox remplie d'eau qu'elle venait de sortir du réfrigérateur. Elle la tendit à Ronen qui but avec tous les signes du contentement, puis fit claquer ses lèvres.

– Ah, c'était exactement ce dont j'avais besoin !

En lui rendant le gobelet, il s'immobilisa comme s'il venait de découvrir le médaillon.

– Vous portez un bien joli pendentif, Mangala*ma*. Vous l'a-t-on offert à l'occasion des fiançailles de Tuktuk ?

Se voyant remarquée par Ronen *babu*, l'auguste gendre, Mangala se sentit rougir de plaisir.

– Non, non, Ronen *babu*, il n'est pas à moi. Qui offrirait un si joli bijou à la pauvre veuve que je suis ? C'est Babli-*di* qui m'a demandé de le garder pour elle, alors je le porte pour être sûre qu'il soit en sécurité. On ne sait jamais quand des cambrioleurs peuvent s'introduire dans la maison. C'est vrai, parfois ils vous volent même pendant votre sommeil, ils vont chercher jusque sous votre oreiller ce que vous y gardez de plus précieux !

En entendant nommer sa femme, Ronen sentit qu'il s'était passé quelque chose de louche. L'implication de Rîla dans cette affaire ne présageait rien de bon. Il était plus que jamais curieux d'examiner le médaillon de près.

Sous l'aiguillon du désespoir, l'inventivité vint à son secours.

– Ah oui ! Maintenant, je me rappelle ! C'est un des pendentifs que votre Babli*di* préfère. Vous savez quoi ? Confiez-le-moi, je vais le faire copier en or pour le lui offrir. Ça lui fera tellement plaisir !

Le large visage sans attrait de la femme s'épanouit en un sourire ravi. Elle détacha la chaîne de son cou et la tendit en toute confiance à Ronen, plein de mépris à son propre égard pour le subterfuge auquel il s'abaissait, qui plus est avec une servante.

— À présent, c'est notre secret, Mangala*ma*, dit-il avec une gaieté feinte. Pas un mot à votre Babli*di*, ni à qui que soit d'autre !

Il glissa le bijou dans la poche de sa *kurta*. Lorsqu'il eut retrouvé l'intimité des toilettes, il l'en tira d'une main tremblante et l'examina. Ce qu'il avait espéré et redouté à parts égales s'avéra : il était bien confronté au médaillon contenant sa photo qu'il avait offert à Peggy. Par quels chemins tortueux était-il parvenu en possession de Mangala ? Rîla seule tenait la clef du mystère. Il décida l'aller la trouver.

Les femmes avaient fini de déjeuner. Rîla et Tuktuk, allongées sur un divan face à la chaise où Bipin était assis, pouffaient en se racontant leurs histoires. De temps à autre, Tuktuk coulait un regard vers Bipin, ce qui avait pour effet de le mettre mal à l'aise. Les deux sœurs levèrent les yeux, surprises de voir Ronen approcher de Rîla à grandes enjambées, la saisir par le poignet et la tirer sans cérémonie pour la mettre debout.

— Dis au revoir à tout le monde. Je veux rentrer et tu viens avec moi.

Rîla se pencha vers sa sœur en riant pour lui murmurer à l'oreille :

— Tu as vu comme il me désire ! Il voudrait être déjà arrivé !

Elle s'éloigna pour faire ses adieux à son père et aux autres, tandis que Ronen l'attendait impatiemment à la porte. Tuktuk les regardait tour à tour. Elle les enviait pour la relation qu'ils partageaient. Bientôt, se jura-t-elle, elle rendrait Bipin fou de désir pour elle de la même façon.

∾

Radha et Pingola, agrippées l'une à l'autre devant la porte de Poltu*da*, tremblaient de peur en entendant la terrible dispute qui se déroulait à l'intérieur. Poltu*da* hurlait d'une voix qu'elles ne lui connaissaient pas, et pour couronner le tout, Boudi sanglotait à fendre l'âme et semblait le supplier. Un vase ou un flacon de la coiffeuse s'écrasa par terre et peu après elles identifièrent sans doute possible le bruit d'une chaise renversée. Radha et Pingola se regardèrent, horrifiées. Que faire ? Il était impensable de réveiller *Ma* de sa sieste. Quant à aller chercher le père de Poltu*da* dans son étude, plutôt mourir !

Accablées, le dos voûté, elles gagnèrent la cuisine, silencieuses sur leurs pieds nus et s'accroupirent sur le sol pour s'abandonner à un chagrin bruyant, gémissant qu'elles l'avaient toujours su, que cela devait arriver, que Boudi n'avait aucun sens de ses responsabilités vis-à-vis de son mari, gâtée comme elle l'était par son père, et que ce malheureux Poltu*da* ne connaîtrait jamais le bonheur avec cette femme indigne. Pauvre Poltu*da*, si bon ! Qu'avait-il fait pour mériter une épouse aussi méchante et dure ?

Le thé et les *pakora* d'aubergine qu'elles préparèrent pour se consoler avaient un goût de cendre.

35

La lettre

ASSIS À SON BUREAU dans la vaste pièce qu'on lui avait allouée récemment en qualité de successeur désigné du directeur, Ronen pressa le bouton qui déclenchait le signal rouge « ne pas déranger » devant sa porte. Il défroissa soigneusement la dernière lettre que Peggy lui avait envoyée, celle qui accompagnait le médaillon lorsqu'elle le lui avait retourné, et que Rîla avait fini par lui rendre après l'avoir cachée tout ce temps sous une pile de saris dans son armoire. Il la relut, pour la centième fois peut-être, bien que les phrases brèves de Peggy fussent déjà imprimées au fer rouge dans sa mémoire :

Cher Ronnie, je t'ai envoyé de nombreuses lettres qui sont restées sans réponse. Cela fait plus d'un an à présent que tu es parti et que je n'ai aucune nouvelle de toi. Aussi je te demande de reprendre, s'il te plaît, le médaillon que tu m'avais offert. Avec mon meilleur souvenir.

Peggy.

« De nombreuses lettres. » Ronen laissa échapper un grondement douloureux. Peggy, la jeune femme qu'il chérissait, lui avait écrit maintes fois sans jamais recevoir de réponse. Qu'avait-elle pu ressentir ? Qu'avait-elle pensé ? Ses yeux se voilèrent en imaginant une fois de plus la peine qui avait dû être la sienne, alors que, de son côté, il entretenait des pensées amères à son sujet, croyant qu'elle l'avait trahi. Quel imbécile, quel crétin !

Il avait été facile de faire cracher toute l'histoire à Rîla, effrayée par sa colère et plus encore par la haine qu'elle lisait dans son regard. Entre deux sanglots, elle lui avait tout avoué.

Il l'avait laissée pleurant sur le lit, sans un mot pour la consoler, pour aller trouver le gardien qu'elle avait mentionné, l'homme qui lui avait apporté le médaillon. Devant l'expression de rage de Ronen, celui-ci était tombé à genoux. Ronen avait serré les poings pour se retenir de le frapper, tout comme il l'avait fait pour se retenir de gifler sa femme, et l'avait écouté raconter comment il l'avait trahi à la requête de son père.

De nombreuses enveloppes bleues étaient arrivées plus d'un an durant, avait bégayé l'autre, qu'il avait brûlées une à une suivant les instructions reçues. Seule la dernière avait échappé à ce sort. Comme elle semblait contenir un objet de valeur, il l'avait remise à Boudi.

– Que pouvais-je faire, Ronen *baba* ? avait gémi le gardien aux pieds de Ronen, le visage ruisselant de larmes qui s'écrasaient sur le sol poudreux. Je suis un pauvre homme, forcé d'obéir aux ordres qu'il reçoit. Comment aurais-je pu deviner que ces lettres avaient quelque chose d'important à voir avec vous ? Si seulement je savais lire l'anglais...

Ronen avait tourné les talons, le cœur gros de rancune contre son père. Il était sorti, avait passé un moment à l'Olympia's Bar de Park Street pour y descendre deux ou trois whiskys secs avant la fermeture, échafaudant des plans les uns après les autres dans sa tête. À son retour, tard dans la nuit, la maison était silencieuse et sombre. Passant par le jardin, il avait vu une petite ampoule briller dans sa chambre. Il était entré par la porte vitrée et s'était allongé tout habillé sur le divan, face au lit où Rîla, étendue, veillait. Elle s'était dressée sur son séant, avait allumé la lampe de chevet et lorsqu'elle avait relevé la moustiquaire, il avait découvert un regard plein d'effroi dans son visage bouffi d'avoir pleuré. Envolés les sourires lascifs et les minauderies de son épouse. Elle était laide et avait l'air malade.

– Viens dormir, Ronen, avait-elle dit en tapotant son oreiller. Tu dois être fatigué. Viens, je ne te dérangerai pas.

Il l'avait regardée avec dégoût.

– Je ne suis plus ton mari. Je ne dormirai plus jamais avec toi.

À présent, assis derrière son bureau imposant, il enchaînait les brouillons de lettres. La corbeille à papier était déjà pleine de feuillets froissés. Il finit par se décider, épuisé, pour les dernières lignes qu'il venait d'écrire. Elles disaient :

Ma si chère Peggy,

Pardonne-moi pour cette réponse très tardive. À la suite d'un terrible incident, j'ai bien peur qu'aucune de mes lettres précédentes ne te soit parvenue, tout comme aucune des tiennes n'est arrivée jusqu'à moi. J'ai fait l'erreur de croire que tu m'avais abandonné jusqu'à ce que je découvre accidentellement la dernière de tes missives, jointe au médaillon que je t'avais offert aux jours heureux de notre vie à Londres.

Peggy très chère, les sentiments que je nourris pour toi n'ont pas changé. S'il se peut qu'en dépit de tout tu m'aies gardé un peu d'affection, écris-moi, je t'en prie, et mets fin à ma souffrance. Envoie ton courrier à l'adresse professionnelle de l'en-tête et adresse-la à Ronen Mukherjî. C'est ainsi qu'on m'appelle ici.

Je joins le médaillon à cette lettre en espérant que tu le porteras et que tu penseras à moi.

Avec tout mon amour
Et pour toujours,

À toi.

Ronnie.

36

Grace

GRACE était assise dans son fauteuil sur la véranda, jambes allongées, les pieds posés sur un des nombreux *mûra* de la maison, ces tabourets bas en rotin, légers, qu'on pouvait déplacer partout. Les yeux bouffis d'avoir pleuré et peu dormi, elle avait mal à la tête et tout son corps était douloureux. En dépit de la chaleur, elle avait drapé un châle fin sur ses épaules. Une tasse de thé au lait bien fort et sucré était placée sur la table à côté d'elle, au-dessus d'une pile de *Woman & Home* et de *Tit-Bits*.

Ayah, assise par terre en tailleur face à elle, lui massait les pieds en écoutant attentivement Mem Saab lui raconter ses malheurs des jours précédents.

Tout avait commencé le dimanche. Saab s'était réveillé de bonne humeur, tous ses plans se déroulant selon ses attentes, et il avait choisi le petit déjeuner pour leur annoncer qu'ils allaient enfin partir tous les quatre en Angleterre l'été venu. Grace n'en concevait pas une grande joie, Ayah la savait hésitante à quitter Calcutta. À ce stade du récit, Grace sollicita des yeux le regard bienveillant d'Ayah et celle-ci hocha la tête pour l'encourager à poursuivre.

Grace prit une gorgée de thé stimulante et s'exécuta.

Quand le Saab et elle avaient pris place à table, les deux filles y étaient déjà installées, l'air heureuses. Et au doigt de Paddy brillait un... un...

Grace fondit en larmes. Ayah lui murmura des paroles de réconfort, très douces, comme à un enfant, jusqu'à ce qu'elle puisse reprendre son récit.

– Paddy avait l'air si heureuse ! dit-elle, le souffle haché. Et fière. Shirley *baba*, elle aussi, était tout sourire. La bague était assurément très belle. Mais Saab... Saab s'est mis dans une telle colère que pendant un moment, elle avait cru qu'il allait de nouveau frapper Paddy *baba* !

Les yeux d'Ayah lancèrent des éclairs, mais elle se contint et, tête baissée, écouta Grace qui continuait, éplorée, sa relation des événements. Paddy *baba* avait alors décrété qu'elle ne partirait pas au pays ! Qu'elle resterait à Calcutta pour épouser Karam. Alors, Saab était entré dans une rage mémorable et – oh Ayah ! – que ne lui avait-il pas dit ! Des choses que jamais personne n'aurait dû oser dire à ses enfants. Paddy *baba*, elle, n'avait ni pleuré ni fait d'esclandre. Elle s'était bornée à répéter que Saab pouvait bien faire ce qu'il voulait, elle était en âge de se marier et elle se marierait. Avec Karam.

Grace fut parcourue d'un frisson de froid qui la pénétra jusqu'aux os. Ayah se leva pour l'emmailloter plus étroitement dans le châle et se rassit, prit ses pieds sur ses genoux et se mit à en masser doucement la cambrure tout en l'écoutant. À la fin, Saab avait dit que si Paddy *baba* s'obstinait à vouloir épouser Karam, elle cesserait aussitôt d'être sa fille. En entendant cela, Paddy s'était mise à pleurer, mais elle n'avait pas cédé. Il n'était pas question qu'elle rende la bague à Karam. Et quand Saab avait répété sa menace, criant si fort que tous les voisins avaient dû entendre, Shirley *baba* s'était levée et lui avait dit en le regardant droit dans les yeux qu'elle le détestait quand il torturait sa sœur et qu'elle non plus ne serait plus sa fille et qu'elle non plus ne partirait pas avec lui pour « Bilayat » !

À ce stade du récit, Grace s'écroula en pleurs, la tête dans les mains, le corps secoué de sanglots incontrôlables. Aveuglée par les larmes, elle tendit le bras vers Ayah qui prit sa main blanche et lisse entre ses mains brunes et rugueuses, et se mit à en palper doucement les phalanges. La peau de Grace était chaude ; elle avait de la fièvre.

Gloussant et roucoulant comme elle l'avait fait avec Shirley et Paddy, enfants, quand elles étaient malades, Ayah l'aida à se lever et, lui murmurant des encouragements, la soutint jusqu'à son lit où elle l'installa confortablement. Puis, tirant à elle le tabouret de la coiffeuse, elle s'assit au chevet de sa Mem Saab et lui caressa le bras jusqu'à ce qu'elle s'endorme.

Alors seulement, elle se leva et s'éloigna sans bruit sur ses pieds nus vers ses quartiers à l'office. Elle se laissa tomber lourdement sur une chaise. Il fallait qu'elle réfléchisse très sérieusement à cette affaire ; la situation se présentait sous un nouvel aspect qu'il était nécessaire de prendre en compte. Elle devait consulter Apurru quand il reviendrait de sa rencontre avec Yusuf *bhaï* à la mosquée.

Quand les autres revinrent dans la soirée, l'état de Grace ne s'était pas amélioré et Robert envoya Ayah en rickshaw avec Gussy chercher le médecin de famille. Le docteur Sen, un homme jovial et rebondi, était un généraliste dont le cabinet se tenait dans la grande pharmacie Sen, Law & Co du coin de Wellesley Street et d'Elliott Road. Il avait guéri les petites Ryan, qu'il appelait Sharly et Paidy, de toutes leurs maladies infantiles, des oreillons à la varicelle, ainsi que les membres adultes de la maisonnée, Ayah et Apurru inclus, d'innombrables accès de grippe.

Le docteur, sa sacoche de médecin noire avachie par l'usage, se présenta au soir après la fermeture de son cabinet et se dirigea droit vers la chambre de Grace. Il en émergea au bout de cinq minutes. Le sourire qu'il arborait rassura Robert et les filles qui arpentaient la véranda, très inquiets.

– Ne vous faites pas souci, monsieur Rayôn, dit-il. Juste une petite grippe. Seulement vous donnez mélange Infludine le matin trois jours. Mme Rayôn alors en pleine santé rose.

Il accepta une tasse de thé des mains d'Ayah et se moucha bruyamment dans un grand mouchoir à carreaux bleus et blancs.

– Ne vous faites pas souci, je répète. Pas peur, le meilleur docteur du monde, c'est devant vous !

Et il éclata d'un rire tonitruant à sa propre plaisanterie, une boutade qu'il ne manquait jamais de servir. Les Ryan, bon public, se joignirent au brave docteur pour marquer combien ils lui étaient reconnaissants de ses attentions.

Tandis qu'ils riaient consciencieusement, Paddy croisa le regard de son père et soudain l'absurdité de la situation les frappa simultanément. Leur hilarité, devenue sincère, redoubla, dissipant la tension qui s'était édifiée entre eux comme un mur insurmontable au cours des jours précédents.

– Shirl, dit Robert, toujours riant, va donner une dose d'Infludine à Maman, la pauvre ! Paddy, porte-lui des biscuits pour atténuer le goût horrible du médicament, et offres-en au docteur Sen.

Il ouvrit son portefeuille et tendit au médecin dix roupies et huit *anna*, le prix d'une consultation à domicile, que le petit homme prit avec un sourire gêné.

« Comme nous avons de la chance d'avoir un si bon docteur qui se déplace, pensa-t-il. Quel trésor de bonhomme ! Je me demande qui Maudie appelle à Londres, quand ça ne va pas. » Et il se promit de lui poser la question dans sa prochaine lettre.

L'Infludine, une mixture à l'aspect inquiétant et au goût infâme, fabriquée par l'apothicaire de Sen, Law & Co, était bien connue des Ryan.

– Pauvre Maman, dit Shirley en emportant le flacon pour administrer à Grace la première des dix prises prescrites, consciencieusement rappelées par une note sur un timbre de papier collé à l'arrière du flacon.

Elle jeta un coup d'œil par-dessus son épaule à Robert et à Paddy, heureuse de constater que les choses allaient mieux entre eux. Les nuages lourds qui avaient plané sur la maison depuis la nouvelle des fiançailles de Paddy s'étaient miraculeusement dissipés. Elle savait cependant que les dernières paroles adressées à son père, qui lui avaient échappé dans un moment de colère pour défendre sa sœur, seraient prophétiques. Rien ni personne, elle en était certaine à présent, ne pourrait la forcer à partir pour l'Angleterre.

37

Robert

COMME GRACE se remettait rapidement, Robert, le cœur allégé, crut pouvoir tabler sur la trêve tacite qui s'était installée entre lui et ses filles pour poursuivre ses démarches. Les filles se rendraient à la raison, se disait-il. Une occasion de partir vivre en Angleterre ne se déclinait pas comme ça. Grace réussirait à les persuader ; elles suivaient toujours ses conseils.

Il démissionna de Barton Ferne, ou plutôt, selon les termes plus châtiés qu'il affectionnait, « soumit son dossier » à Peter Wilson qui, stupéfait, lui demanda à plusieurs reprises de confirmer sa décision avant de la transmettre au directeur général. La démission fut acceptée. On lui devait tant d'arriérés de congés (à raison de trente jours par année de présence) qu'il n'était pas tenu d'effectuer son préavis, mais consciencieux jusqu'au bout, Robert décida de rester jusqu'à la fin de la semaine en cours pour laisser le temps à Mr Wilson de réorganiser le service et la répartition des tâches.

Le dernier jour, Peter Wilson organisa un petit pot d'adieu pour lui. Il y avait des bouchées de poulet aux champignons de Flury, et un gâteau au chocolat surmonté de l'inscription « Bonne Chance » en sucre glace. Le garçon de bureau de Peter avait placé quelques bouteilles de bière dans une glacière. Il les ouvrit et le petit groupe de cinq ou six personnes porta un toast à l'avenir de Robert, dissimulant leur étonnement. Comment pouvait-on, se demandaient-ils, quitter un emploi aussi confortable après vingt-cinq ans d'ancienneté ?

Robert s'était attendu à ce que Mukherjî fasse des gorges chaudes de son départ imminent.

« Je suis sûr que ce salaud va claironner partout son triomphe. Il va récupérer la voiture et Gobindo pour lui tout seul et pourra s'asseoir d'un côté ou de l'autre, au choix », se dit-il, sans voir que son prétendu ennemi semblait las et abattu. Quand Mukherjî lui serra la main avec une chaleur surprenante en disant : « Je vous envie presque, mon vieux. Les jours les plus heureux de mon existence sont ceux que j'ai passés à Londres », il n'entendit pas la nostalgie qui sous-tendait sa remarque et se méprit complètement sur son sens. « Pardi ! L'enfoiré ne rate pas une occasion de la ramener au sujet du temps qu'il a passé là-bas », pensa-t-il avec amertume.

Libéré de l'obligation de se rendre au bureau, Robert se mit à passer chaque jour de longues heures en compagnie de Victor Menezies, à choisir les articles de valeur qu'il allait acheter pour les emporter et les vendre en Angleterre. Aussitôt que son pécule de retraite et ses gratifications, qui se montaient à une coquette somme après toutes ses années de service et d'épargne, furent soldés par la comptabilité, il concrétisa ses achats. C'étaient pour l'essentiel des tapis du Cachemire, faits main et très coûteux, achetés sur les conseils de Victor, car pour des tapis, avait affirmé ce dernier, le risque de détérioration au cours du voyage en bateau était minime. Enroulés dans des housses de toile épaisse, ils étaient commodes à transporter. Les deux hommes décidèrent d'un commun accord que les Ryan quitteraient leur appartement un peu avant leur départ pour un logis temporaire, le temps d'avoir vendu leur mobilier aux enchères.

Restait à prévenir la propriétaire un mois à l'avance, à trouver un toit provisoire aux Ryan, à se procurer des malles en fer-blanc afin qu'ils puissent commencer tous les quatre à empaqueter leurs effets personnels. Robert devait également déposer des demandes de passeports, réserver leurs billets de train pour Bombay, puis leur passage sur le paquebot... Il avait tant à faire ! On était à la mi-avril et il voulait atteindre l'Angleterre en juin ou en juillet, au moment où les jours étaient plus chauds et plus longs, comme le lui avait écrit Maud. Ainsi ils n'auraient pas à dépenser leurs économies pour s'acheter des vêtements fourrés dès leur arrivée.

Il fut complètement pris de court lorsque Grace, pâle et encore faible, lui saisit la main un matin alors qu'il se préparait à partir pour une nouvelle journée bien remplie.

– Robert, avant que tu ailles acheter les billets pour notre voyage, j'ai quelque chose à te dire.

Ses mots, son air sérieux et triste lui faisaient présager le pire. Paddy, leur précieux trésor, était-elle vraiment déterminée à épouser ce maudit Karam et à rester en Inde ? C'était tout simplement impensable.

38

Paddy

J USTE UNE MINUTE, Paddy, s'il vous plaît. Venez dans
mon bureau.

Victor Menezies se dressait sur le seuil alors que Paddy
couvrait sa machine à écrire et rangeait son bureau avant
de partir.

– Je ne vous garderai pas longtemps.

Victor sourit d'un air entendu en voyant qu'elle coulait
un regard vers sa montre, assise face à lui à son immense
bureau ancien.

Elle rougit.

– Je suis désolée, oncle Vic... Je veux dire, monsieur
Menezies Sir. C'est que j'ai rendez-vous avec quelqu'un...

– Et je sais très bien de qui il s'agit ! Maintenant, dites-
moi, Paddy, vous savez que je suis en affaires avec votre
père en ce moment et pourquoi. J'attends que vous me
préveniez du moment que vous aurez choisi pour quitter
votre poste. Je dois chercher quelqu'un pour vous remplacer. Ne pensez-vous pas qu'il serait légitime que je sois
mis au courant le plus tôt possible ?

Paddy regarda son patron droit dans les yeux.

– Je n'ai rien à vous dire, monsieur. Je ne partirai pas, à moins que vous me congédiiez, bien entendu. J'aimerais garder mon emploi ici avec vous.

– Oh ! s'écria Victor, qui ne s'attendait pas à cette réponse. Vous n'allez pas en Angleterre avec votre famille ? Votre Papa est au courant ?

– Je le lui ai dit, confirma Paddy. Et à Maman aussi.

Elle se leva pour partir.

– Je peux rester travailler ici, alors ?

– Bien sûr, bien sûr ! s'exclama-t-il en la congédiant d'un grand geste du bras. Allez, filez, je sais que vous n'y tenez plus !

Il la regarda s'éloigner, songeur, le sourcil froncé. Un beau sac de nœuds en perspective, bigre ! Comment Robert allait-il prendre la chose ? Le connaissant, il allait sûrement exploser. Et Grace, qu'allait-elle faire ? Cette jeune Paddy ! Elle avait bel et bien lâché le loup dans la bergerie !

Cependant, Paddy se hâtait de gagner le coin de la rue où Karam l'attendait à l'ombre d'un arbre. La brise venue du sud qui soufflait du fleuve et rafraîchissait la ville en fin de journée ébouriffait les cheveux du jeune homme et soulevait le bas de la jupe de Paddy. À bout de souffle, elle lui donna un baiser rapide et lui dit :

– Désolée d'être en retard. Oncle Victor m'a coincée juste au moment où je m'en allais.

Elle jeta son sac dans la voiture par la vitre ouverte. Karam se pencha pour l'en retirer et le replaça en bandoulière sur son épaule.

– Aujourd'hui, on marche, dit-il en la prenant par la main.

247

Et il l'entraîna dans Russell Street. Ils repassèrent devant l'hôtel des ventes, puis devant The Good Companions où Shirley avait travaillé, avant de tourner à droite dans Park Street.

– On va au Mag ? demanda Paddy, curieuse.

Puis, après qu'ils eurent dépassé le Magnolia sans s'arrêter :

– Chez Flury, alors ?

– Plus tard, peut-être, répondit Karam, mais pour l'instant, j'ai quelque chose à te montrer. On monte.

Ils entrèrent dans Stephen Court, le pâté d'immeubles qui surplombait Flury, et Karam précéda Paddy dans un escalier, grimpant les marches deux à deux jusqu'au premier. Il s'arrêta devant une porte, tira une clef de sa poche, et l'invita à entrer en s'inclinant devant elle.

– Dites-moi ce que vous pensez de ce lieu, gente dame, dit-il avec un sourire fendu jusqu'aux oreilles. S'il vous agrée, il est à vous.

Paddy s'avança à l'intérieur du vaste appartement avec une expression incrédule.

– Vraiment ? Tu ne plaisantes pas ? demanda-t-elle, cédant au ravissement. Il est pour nous ?

Elle traversa les pièces aux proportions harmonieuses, les deux chambres lumineuses, le salon spacieux avec son coin salle à manger près de la cuisine et, cerise sur le gâteau, le large balcon visité par la brise qui surplombait Park Street. En se dévissant le cou à gauche et à droite, elle pouvait apercevoir l'artère sur toute sa longueur. Les ailes du Moulin Rouge tournaient, paresseuses, juste en face.

– Oh, Karam ! s'exclama-t-elle, c'est un endroit magnifique ! Je l'adore ! Mais le loyer doit être horriblement cher, en plein Park Street, non ?

Karam se tenait debout derrière elle sur le balcon, les bras autour de sa taille.

– Certes, répondit-il avec un soupçon de provocation, mais pense à l'avantage d'avoir à la fois le Mag et Flury à notre porte ! Au moins, je ne perdrai pas mon temps à te conduire à Park Street pour acheter tes Knickerbocker Glories et tes nougatines au chocolat !

Paddy éclata de rire et l'entraîna au salon en posant un long baiser sur ses lèvres jusqu'à ce qu'il recule pour retrouver son souffle.

– Arrête, princesse, ou je ne réponds plus de moi, je te préviens...

Elle l'embrassa de nouveau et, se renversant en arrière, le fit tomber avec elle sur le sol nu.

– Quelle meilleure façon d'inaugurer notre nouveau foyer, Karam ? Fais-moi l'amour.

Plus tard, assis à leur table de coin favorite chez Flury, Paddy devant un haut verre de café glacé, le fameux Sprüngli de l'établissement, Karam dégustant un café crème, ils discutèrent de leur mariage. La cérémonie devait avoir lieu rapidement, avant le départ des Ryan pour l'Angleterre. Karam avait parlé à son oncle Mahendrabir, le frère aîné de son père, l'homme à qui Karam succéderait à la tête de la famille puisqu'il n'avait pas de fils, seulement un essaim de filles.

Quand Karam avait appris à son oncle que la famille de Paddy s'apprêtait à quitter le pays, il avait proposé de tout organiser pour son neveu et héritier. Sa seule exigence avait été de faire la connaissance de Paddy auparavant.

– Voudras-tu bien venir le voir ? demanda-t-il avec inquiétude. Il sera à Calcutta la semaine prochaine.

– Oui, bien sûr. Je serai heureuse de rencontrer ton oncle. Mais... et tes parents ?

– Pater est trop malade et trop faible. Quant à Mater, répondit-il avec franchise, j'ai bien peur qu'elle soit opposée à notre mariage. Tout comme ton père. Mais peu importe, ma chérie. Il s'agit de nos vies, pas des leurs. Ils n'ont pas plus d'importance qu'un moustique. Et mon oncle veillera à ce que ma sœur soit là en même temps. Elle est impatiente de faire ta connaissance. Je crois que tu l'aimeras bien.

39

Robert

ROBERT, assis à côté de Grace au bord du lit, les épaules voûtées, regardait sans les voir ses mains posées, inutiles, sur ses genoux. Grace en prit une dans la sienne puis, sentant les doigts inertes, la relâcha. Elle préférait attendre que Robert parle.

Les minutes passaient. La pendule accrochée au mur égrenait si bruyamment les secondes dans le vide sonore de la chambre que son tic-tac semblait surnaturel. Grace n'osait rompre le silence. Enfin, Robert prit une longue inspiration et commenta d'une voix terne, sans vie :

– Alors c'est sans appel. Elle ne va pas venir avec nous. Elle te l'a dit, et toi, toi, tu as accepté.

– Que pouvais-je faire d'autre ? Qu'aurais-*tu* pu faire d'autre toi-même ? répondit Grace, piquée au vif, qui se retint juste à temps d'ajouter : Lui donner une bonne raclée, des coups de ceinture ?

Comme il restait silencieux, elle reprit :

– Qu'aurais-je pu faire ? Elle est résolue à épouser Karam, ce qui signifie qu'elle reste ici avec lui. Elle a passé l'âge de nous demander la permission. Il n'y avait rien à discuter, je n'avais pas voix au chapitre.

– Parfait, coupa Robert en se levant, le dos tourné. C'est absolument parfait, n'est-ce pas, Grace ? Toutes ces années passées à rêver, à préparer ce départ, et maintenant… maintenant, à quoi ça rime ? Je te le demande, Grace, à quoi ça rime ?

Grace baissa les yeux sur ses mains, redoutant sa réaction à ce qu'elle allait ajouter, car elle n'avait pas tout dit. Pour la première fois de sa vie, son mari lui faisait peur, mais elle devait parler.

– Ce n'est pas tout, il y a pire. Shirley a décidé elle aussi de ne pas partir.

Robert fit brusquement volte-face. Son visage était un masque impénétrable.

– Est-ce que tu es en train de me dire que Shirley ne sera pas du voyage, elle non plus ? Ma parole, tu as perdu l'esprit !

Il se pencha vers elle et, lui saisissant le menton entre le pouce et l'index, la força à lever la tête pour le regarder. La pince de ses doigts s'enfonçait douloureusement dans sa chair.

– Réponds-moi ou je te jure que tu vas le regretter !

Grace se débattit pour se libérer.

– Arrête, Robert, tu me fais mal !

Il la lâcha, lui projetant la tête en arrière dans une violente poussée. Elle déglutit avec effort avant de reprendre :

– Shirl… Shirley dit qu'elle n'avait pas une grande envie de partir de toute façon et maintenant, sachant que Paddy reste ici, elle préfère en faire autant. Elle dit qu'elle ne veut pas finir vendeuse en Angleterre comme Maud. Qu'elle veut chanter, qu'elle aime ça et qu'aujourd'hui elle s'est fait un public ici, alors…

Sa voix mourut.

Robert se dressait toujours au-dessus d'elle, mais elle sentait qu'il la regardait sans la voir, qu'il avait retourné ses pensées vers les profondeurs de lui-même. Il resta longtemps sans proférer un mot et lorsqu'il se décida à parler, ce fut d'une voix atrocement calme et plus glaçante qu'une gifle.

– Tu ferais mieux d'aller jusqu'au bout, Grace. Tu ne veux pas m'accompagner, toi non plus, hein ? Ah, le joli complot que vous avez ourdi, toutes les trois ! Vous jouez au jeu de l'âne et l'âne s'appelle Robert, c'est ça ? – Il suffoquait, à présent. – C'est ça ?

– Oh, non, non, jamais de la vie ! s'exclama Grace.

La douleur qui imprégnait les propos de son mari lui était si pénible que sa peur se volatilisa. Elle bondit sur ses pieds pour l'enlacer et le serra dans ses bras de toutes ses forces malgré la raideur que lui opposait le corps de Robert. Son menton portait les marques rouges de sa brutalité. Bientôt, elles auraient fait place à des bleus.

– Il n'existe aucun complot, Robert ! Les enfants t'aiment, tu le sais ! C'est juste qu'elles ont grandi, qu'elles ont leur vie à elle ! J'ai bien quitté mes parents, moi aussi, pour te suivre à Calcutta, non ? Et je ne l'ai pas regretté un seul jour !

« Bien sûr que j'irai en Angleterre, poursuivit-elle en l'étreignant farouchement, mais un peu plus tard, quand les filles seront installées et que j'aurai fait mes adieux à Maman et Papa à Bangalore. Ils sont très âgés, comme tu le sais, je ne les reverrai peut-être plus jamais si je ne leur rends pas visite avant de partir. Ensuite, je viendrai te rejoindre à Londres.

Robert, recula légèrement la tête pour la sonder du regard. Ces yeux que Robert cherchait chaque matin, au réveil, ces deux lacs vert jade dans lesquels il avait souvent cru flotter, ces yeux, les yeux de Grace, les yeux de sa chère Gracie, plongeaient dans les siens avec la limpidité qui avait toujours été la leur.

Ses bras se nouèrent autour d'elle et il effleura l'une après l'autre ses paupières d'un baiser. Puis il embrassa les méchantes marques rouges imprimées sur le visage de sa femme.

– Excuse-moi, Grace. Je suis une brute, dit-il d'une voix brisée et rauque. Tu as raison, nous ne pouvons rien contre la décision des filles. Elles sont majeures et elles ont leur propre vie à vivre. Mais toi et moi, Gracie, dis-moi que nous serons toujours ensemble. Promets-moi que tu viendras. Pas tout de suite, je ne t'y obligerai pas, mais quand tu seras prête. Promets-le-moi, Gracie. Je ne peux pas vivre sans toi, conclut-il avec un regard implorant.

– Je te le promets, Robert, répondit Grace du fond du cœur, désolée de le voir si triste. Oui, nous serons toujours ensemble, toi et moi, je te le promets mille et mille fois.

Elle posa la tête contre l'épaule de son mari et sentit la chaleur revenir dans son corps que la tension avait quitté.

40

Ayah

– ALORS, qu'est-ce que je dois faire ?
Ayah avait parlé les yeux baissés sur le ton humble dévolu au mâle de l'espèce si évidemment supérieur en tout à la femelle que même les Écritures l'affirmaient. Cela ne l'empêchait pas de couler parfois un œil vers Apurru pour étudier son expression tandis qu'il tirait sur sa *bîdi* en la tenant dans ses mains en coupe pour en concentrer le goût.

Ils prenaient le frais sur le balcon de derrière que bénissait certains soirs un léger souffle d'air, réconfortant après la chaleur suffocante de la journée. Assise à côté de lui sur un *mûra*, elle lui avait rapporté tout ce que Mem Saab lui avait confié et attendait à présent son avis sur la question.

Apurru réfléchit un instant, tournant et retournant le problème dans sa tête, puis il déclara lentement, comme à regret :

– Dans ces circonstances, il n'y a qu'une façon d'agir justement. Nous avons certaines obligations envers la famille qui nous a hébergés et nourris pendant vingt ans, Sohagi, nous ne devons pas l'oublier. Certes, nous n'avons jamais manqué à notre devoir jusqu'ici, mais…

Il tira sur sa *bîdi* et poursuivit :

– ... il ne fait pas de doute pour moi que tu dois rester avec Paddy *baba* dans la maison de son mari, au moins jusqu'à ce qu'elle soit bien installée, maintenant que Mem Saab et Saab s'en vont. Elle est comme notre enfant. Or nous ne savons rien de ce *damaad*. Et s'il la rendait malheureuse ? s'interrogea-t-il puis, crachant par-dessus la balustrade pour conjurer le mauvais sort : On ne sait jamais comment va se comporter un mari.

– Mais toi, comment feras-tu ? Tu disais que Yusuf *bhaï* était prêt à partir à Chittagong et à mettre en route l'entreprise de location de bus. Qu'est-ce qui va se passer si tu ne pars pas avec lui ?

– Mais je *vais* partir avec lui, bien entendu ! dit-il après avoir tiré une nouvelle bouffée. Je dois le faire, la question ne se pose pas. Les occasions de travailler sont bien trop rares. Je parlais de toi, Sohagi. C'est toi seule qui devras rester ici, au moins six mois. Ensuite tu me rejoindras. J'organiserai tout avant de partir, tes papiers, l'argent pour ton billet et tes frais de voyage. Tu n'auras aucun souci à te faire.

– Je m'en ferai forcément ! s'écria Ayah en se penchant pour balayer d'une pichenette la cendre qu'il venait de faire tomber sur sa chemise. Pas pour moi, pour *toi*. Qui va s'occuper de ta maison pendant que tu es au travail ?

– Fatima, bien sûr, répondit Apurru d'un ton rassurant. Elle ne demande que ça. Elle est trop contente à l'idée d'habiter chez nous, loin de sa belle-mère qui lui a mis sur le dos la mort de son fils – que son âme repose en paix – et qui lui mène la vie dure. Ma sœur s'occupera de la maison, et moi de l'entreprise avec Yusuf *bhaï*.

– Fatima *khalajaan* ? Mais que va-t-elle dire si tu pars sans moi ? Ne va-t-elle pas penser que je manque à tous mes devoirs envers mon mari ?

– Comme si je n'étais pas capable de faire entendre raison à ma propre sœur ! Crois-tu que je pourrais la laisser penser du mal de mon épouse ? Sûrement pas ! Allons, Sohagi, ne te laisse pas distraire par ce genre de bêtise. Fatima t'admire : tu vis dans une grande ville et elle n'est qu'une paysanne. Elle sera heureuse de s'ouvrir l'esprit, heureuse qu'on lui apprenne, toi et moi, les façons de vivre du monde moderne.

– Tu es sûr ? demanda Ayah, dubitative. Je ne suis pas rassurée à l'idée de te laisser partir seul à Chittagong.

– Sohagi – le ton d'Apurru était devenu grave, presque sévère –, on ne fait pas toujours ce qu'on veut, ce qui vous rendrait heureux. Il est important de penser aussi en termes de devoir. Tu accompliras jusqu'au bout ton devoir envers Paddy *baba*, notre enfant chérie, puis tu viendras vivre avec moi à Chittagong. Il n'y a pas à discuter. C'est compris ?

– Oui, dit Ayah avec docilité, baissant les yeux pour dissimuler la vague de pur bonheur, montée du fond d'elle-même, qui la soulevait. J'ai compris ce que j'avais à faire. Je t'obéirai.

Il se leva, ouvrit la petite grille qui menait à l'escalier de fer forgé noir en colimaçon, artistement exécuté dans le style courant de l'époque à Calcutta, et s'engagea sur les marches. Elle le suivit du regard, les yeux brillants de gratitude, d'affection et d'une petite touche d'espièglerie.

Tout avait été beaucoup plus facile qu'elle l'avait prévu.

41

Ronen

E N COMPLÉMENT du vaste cabinet de travail qui lui avait été affecté, pourvu, devant sa porte, de son duo d'ampoules rouge et jaune, Ronen avait été gratifié des services d'un gardien de couloir. Tous les préposés aux lumières étaient de vieux bonshommes, jugés trop chenus pour des tâches plus difficiles, tenus de rester perchés sur leur haut tabouret pour éviter qu'ils ne passent trop de temps ensemble à potiner, imaginer des griefs et fomenter des troubles contre la direction.

Peter avait un jour fait remarquer à Ronen : « Ces foutus Bengalis n'ont pas leur pareil comme agitateurs ! Tous des procéduriers de première classe ! », avant de se rappeler, trop tard, qu'il venait de parler à un Bengali. Il avait été soulagé quand Ronen, riant de bon cœur, avait renchéri en disant que son propre père était un avocat, et que la manie de la procédure coulait probablement dans ses veines.

Le vieux gardien de Ronen s'appelait Bose, et son patron le détestait à cause de la dégoûtante habitude qu'il avait de se curer le nez. Toute la journée, juché sur son tabouret devant la porte, balançant la jambe gauche, il farfouillait de son index dans ses vastes narines velues. Une fois exhumé, le contenu, roulé en petites boules entre ce même index et le pouce, était éjecté d'une pichenette à droite ou à gauche de son siège par terre, où elles ressemblaient à des grains de poivre renversés d'un sac.

Ronen avait souvent envisagé d'acheter une paire de gants en caoutchouc chez le pharmacien et d'ordonner à Bose de s'en couvrir les mains avant de toucher les documents qu'il était aussi chargé de transporter d'un bureau à l'autre, mais il n'avait jamais trouvé l'audace de passer à l'acte. Il parait donc au pire en se lavant systématiquement les mains après chaque interaction avec Bose et remerciait le ciel de lui avoir épargné qu'il incombe au vieux bonhomme de lui servir son thé ou son déjeuner.

Pour l'heure, voyant que les deux lumières étaient éteintes, Bose frappait à la porte et entrait, tenant une pile de lettres et de feuillets dans la main droite. Ronen détourna les yeux pendant qu'il déposait les papiers sur son bureau. Peut-être en fin de compte allait-il les acheter, ces gants, quitte à les porter lui-même.

Soulevant délicatement chaque feuille et chaque enveloppe par un coin, Ronen jeta un coup d'œil aux éléments du courrier reçu. Et soudain, il la vit. Une enveloppe bleu pâle, aux bords ourlés des diagonales bleues et rouges, affranchie d'un timbre à l'effigie de la jeune reine Elisabeth de profil. L'écriture lui était aussi familière que la sienne propre. Peggy ! Une réponse de Peggy, alors qu'il avait perdu depuis longtemps l'espoir d'en recevoir une !

Oublié le vieux Bose, oubliée sa répulsion à toucher les papiers souillés de morve. Il oublia tout, conscient seulement de son cœur qui cognait dans sa poitrine tandis qu'il insérait la pointe du coupe-papier dans la pliure du rabat et ouvrait l'enveloppe avec précaution.

Ses yeux sautèrent de la première à la dernière ligne, de « *Cher Ronnie* » à « *ton amie, Peggy* » et le désespoir l'envahit devant la simple bienveillance des formules. Il cligna des paupières et commença sa lecture.

Cher Ronnie,

Comme il est bon de recevoir de tes nouvelles après tout ce temps. Je suis désolée que cette réponse te parvienne si tard, mais ta lettre est d'abord arrivée chez mes parents et m'a été transmise par ma mère au bout de quelques semaines (sa mémoire n'est plus ce qu'elle était, j'en ai peur !) au pays de Galles où je vis maintenant avec mon mari Alex, qui est pharmacien.

Nous nous sommes mariés en août dernier, et nous nous préparons avec enthousiasme à accueillir un nouveau venu dans notre famille en septembre. Alex est certain que ce sera un garçon, et si oui, nous l'appellerons James comme son grand-père paternel (James MacDougall). Si c'est une fille, nous lui donnerons le prénom de ma mère, Jocelyn. Si bien que, dans tous les cas, le bébé portera les mêmes initiales, J.M.

J'espère que tu vas bien. Je me remémore souvent nos bons moments à Londres et je te souhaite de tout cœur d'être heureux avec quelqu'un qui te mérite autant que je le suis avec mon Alex.

Merci (de nouveau !) pour le joli médaillon en argent. Quand l'heureux événement aura eu lieu, j'y mettrai une photo et une boucle de cheveux du bébé et je le montrerai à tout le monde en disant que c'est un cadeau qu'un ami m'a envoyé de l'Inde.

Avec tous mes meilleurs souhaits,
Ton amie,

Peggy.

Ronen relut par deux fois la lettre, puis la déchira soigneusement en petits bouts qu'il jeta dans la corbeille à papier. Quand son bureau fut débarrassé du dernier fragment, il poussa l'interrupteur de l'ampoule rouge. « Ne pas entrer. » Puis, comme un enfant oublié à l'école par un parent négligent, il croisa les bras sur son bureau, y enfouit sa tête et pleura toutes les larmes de son corps.

42

Robert

L'APPARTEMENT, qu'il arpentait nerveusement d'une pièce à l'autre, lui paraissait étrange à présent, dégarni de tout son mobilier à l'exception des quelques éléments essentiels à la vie de tous les jours de la famille. Les meubles du salon – sofas, fauteuils, tables d'appoint, bibliothèques – avaient été vendus en un lot, de même que la salle à manger avec la table et ses chaises, le buffet et la table roulante. Seul, l'antique réfrigérateur Surfridge restait debout dans son coin près de la porte de l'office, haletant et sifflant comme un vieux chien asthmatique.

Les deux chambres avaient gardé leur mobilier à l'exception des tapis, envoyés avec les autres à l'hôtel des ventes pour être mis aux enchères. Les livres de Paddy, rangés dans des cartons, avaient été transportés dans l'appartement de Stephen Court où elle allait habiter avec Karam après leur mariage. L'événement était prévu pour la mi-juin, dans l'espoir qu'alors la mousson aurait éclaté, rafraîchissant quelque peu la température suffocante (la date officielle, chaque année, de l'arrivée des pluies était fixée au 8 juin).

La véranda avait conservé ses quatre fauteuils, à présent posés à nu sur le sol en mosaïque, mais la table centrale où étaient exposés des magazines avait disparu. Le piano de Shirley avait été envoyé chez Irene et Ian, dans la chambre où il attendait sa propriétaire qui allait habiter chez les Carter en tant qu'hôte payant.

Grace avait mis au point cet arrangement avec Irene qui était ravie à l'idée d'héberger Shirley aussi longtemps qu'il plaisait à la jeune fille.

– Depuis que Russell s'est installé à Bombay après son mariage et que Frankie est parti pour Wellington s'engager dans l'armée de l'air, la maison est aussi animée qu'une morgue ! Cela nous fera le plus grand bien à tous les deux d'avoir de nouveau quelqu'un de jeune dans la maison, lui avait-elle déclaré.

Robert réfléchissait à la situation. Il aurait dû comprendre plus tôt que Shirley allait rester en Inde si Paddy décidait de ne pas partir. Il se rappelait à présent un épisode qui s'était produit une année, lors de vacances scolaires d'hiver. Les Ryan et les Carter avaient organisé un pique-nique avec deux autres familles au Jardin botanique où ils avaient festoyé et joué à des jeux de société à l'ombre de l'énorme banyan qui faisait la fierté du lieu. Paddy avait cinq ans, Shirley, huit. Un brusque caprice avait poussé Paddy à vouloir rentrer avec Russell et Frankie dans la voiture des Carter.

C'était une terrible erreur. Seule sur la banquette arrière de la voiture des Ryan, Shirley n'avait cessé de harceler ses parents de questions angoissées : « Où est Paddy ? », « Paddy est-elle partie vivre avec tatie Irene pour toujours ? »

Du côté des Carter, c'était encore pire. Lorsqu'elle s'était aperçue de l'absence de Shirley, Paddy s'était mise

à pleurer, à sangloter à fendre l'âme. « Je veux Shirley »,
gémissait-elle. Irene avait tenté en vain de la distraire avec
toutes sortes de jeux, Russell et Frankie lui avaient offert
des bonbons, Frankie était allé jusqu'à ressortir un bâton
collant à demi mâché de sa bouche pour le fourrer dans
la sienne, espérant sans doute lui clouer littéralement le
bec, mais Paddy n'en avait hurlé que plus fort : « Je veux
Shirley ! »

Finalement Ian, qui suivait Robert, l'avait doublé et lui
avait fait signe de s'arrêter. Paddy avait été transférée dans
la voiture des Ryan et la paix était revenue. Irene avait
conclu en riant à l'adresse de Robert et de Grace : « Un
bon conseil : ne séparez jamais plus ces deux-là ! »

Le souvenir arracha un sourire crispé à Robert. « J'aurais vraiment dû savoir », se dit-il, puis il haussa les
épaules pour chasser cette pensée. « Ce qui est fait est
fait. Avec un peu de chance, Shirley nous rejoindra un
jour en Angleterre. Je lui fais établir un passeport de toute
façon. Mais Paddy ! Ah, ma Paddikins, elle, nous allons
la perdre. Le fait qu'elle se marie avec un Indien signe
bel et bien la fin de tout espoir qu'elle rentre avec nous
au pays ! »

Il poussa un soupir accablé et se mit à énumérer dans
sa tête les choses qui restaient à faire avant de pouvoir
rendre l'appartement à sa propriétaire. Il avait prévu de
le quitter un mois plus tôt et d'installer provisoirement sa
famille dans une suite de l'hôtel Astor de Theatre Road
jusqu'à son départ (fin juin). Puis Grace se serait rendue
à Bangalore, Shirley serait allée habiter chez les Carter
et Paddy serait partie au Cachemire en voyage de noces,
différé pour lui permettre de faire ses adieux à son père.

C'était sans compter avec cette maudite administration indienne qui prenait un temps fou à émettre les passeports pour lesquels il avait engagé les démarches si longtemps auparavant et les Ryan avaient finalement dû rester à Sharif Lane, l'adresse indiquée sur les formulaires, car c'était là que devaient arriver les documents. « S'ils arrivent un jour », se dit Robert d'un ton grinçant, frustré, enragé par l'inefficacité des ministères de l'Inde. On était déjà en juin, il faisait une chaleur d'enfer, et il n'avait toujours pas ses papiers.

Maud avait mentionné dans une de ses lettres qu'il leur avait suffi, à Julius et à elle, de remplir les formulaires de demande et de les envoyer par la poste pour recevoir leurs passeports britanniques pratiquement par retour du courrier. Sans histoire, sans complications. Pas comme ici, se disait Robert avec irritation, où il fallait remplir deux cents formulaires en triple exemplaire, faire la queue des heures durant, puis encore une fois, et attendre, attendre, attendre interminablement ! Il y avait de quoi user la patience d'un saint, par tous les diables !

Grace avait emmené les filles à New Market pour ce qu'elle appelait « préparer le trousseau de Paddy ». Il s'agissait en fait de se livrer à une orgie d'acquisitions – vêtements, sacs à main, chaussures, linge de maison, vaisselle, argenterie et ustensiles de cuisine. Lorsque Robert fut las d'aller et venir, désœuvré, d'une pièce à l'autre, il se décida à transférer le contenu de son armoire dans l'une des grandes malles de voyage qu'il avait achetées.

Il plia méthodiquement ses vestes, cravates, pull-overs et chemises à manches longues, ne laissant de côté que le costume qu'il se proposait de porter pour le mariage de

Paddy. Il emballa ses chaussures dans des feuilles de vieux exemplaires du *Statesman* et, pour finir, enfonça ses étuis à cigarettes et les boîtes contenant sa collection de boutons de manchettes et d'épingles de cravate dans les coins de la malle, tout étonné d'avoir terminé si vite.

Un coup d'œil à sa montre lui confirma qu'il restait une bonne heure avant le retour de Grace et des filles pour le déjeuner. Il décida alors de donner un coup de pouce aux préparatifs de sa femme en vidant son armoire, à elle aussi.

Lorsqu'il eut déposé dans la malle les manteaux, les pulls, les peignoirs en lainage, les écharpes, les chemises de nuit en flanelle et ce qui pouvait bien se monter à une centaine de paires de chaussures (concernant certaines d'entre elles, il ne se rappelait même pas les lui avoir jamais vues aux pieds), Robert estima avoir été jusqu'au bout de ce qu'il pouvait faire à la place de Grace. Un nouveau coup d'œil à sa montre lui indiqua qu'il était presque l'heure du déjeuner et, entendant le klaxon d'un taxi dehors, il alla passer la tête par la fenêtre de la véranda. Cependant, le taxi dépassa le 44-A sans s'arrêter. Ce n'étaient pas elles.

Soudain, l'appartement résonnant de vide lui était devenu complètement étranger. Depuis qu'il y avait amené Grace de longues années auparavant, il ne s'y était jamais trouvé complètement seul. Il y avait toujours eu un bourdonnement de voix quelque part autour de lui, un cliquetis d'ustensiles venu de la cuisine, le son d'une musique issue du piano ou de la radio. Ce jour-là, dans le silence total, il se sentait oppressé. Il éprouvait une sensation inédite et pesante de solitude doublée d'oisiveté. Le piano et la radio avaient disparu. Il n'osait pas aller solliciter la compagnie d'Ayah à la cuisine. Les abonnements aux quotidiens avaient été suspendus. Il n'avait même pas un journal à lire.

Mal à l'aise, il regardait sa montre toutes les deux secondes en arpentant la chambre à grands pas dans un sens puis dans l'autre, cherchant quelque chose qui aurait pu servir à le distraire. Il finit par poser les yeux sur le coffret à bijoux de Grace, un bel objet en bois de rose ciselé du Cachemire qu'il lui avait offert pour son anniversaire la première année de leur mariage en lui promettant de le remplir au fil du temps. Il avait tenu parole. D'année en année, d'anniversaire en anniversaire, le trésor s'était enrichi d'une chaîne en or, d'un pendentif en diamant, d'un bracelet, d'une bague, d'un collier de perles, d'une broche en émeraude, de joncs en or... La boîte s'était remplie peu à peu.

Robert s'adossa confortablement à la tête de lit et tourna la petite clef dans la serrure du coffret en bois, révélant le plateau du dessus, tapissé de velours rouge. Grace y avait disposé ses bijoux en or. Il souleva une paire de joncs, admira le travail de l'orfèvre, chercha à se rappeler s'il les avait offerts à sa femme avant ou après la fine chaînette de cheville sur laquelle Grace avait jeté son dévolu une année. Robert désapprouvait les « pratiques d'autochtones » dont le port de chaînes de cheville faisait partie, mais Grace en avait eu une envie si forte qu'il avait cédé. Rétrospectivement, il s'en était félicité, tirant fierté de la façon dont elle rehaussait la finesse de sa cheville. Il leva le bijou dans la lumière et observa les étincelles que le soleil faisait jaillir de ses facettes. Comme il existait un bracelet assorti à la chaîne, il souleva le plateau pour les réunir. Il ne trouva pas ce qu'il cherchait au fond du coffret, mais aperçut un petit paquet enveloppé de soie verte, noué d'un ruban rouge. « Ma sentimentale Gracie, ma chérie ! se dit-il avec un amusement moqueur, le cœur débordant d'amour. Elle a conservé mes lettres ! »

Il se rappelait les missives quotidiennes qu'il lui avait écrites de Calcutta après leurs fiançailles, quand il avait dû revenir de Bangalore pour demander une extension de son congé afin de pouvoir retourner se marier. Il défit le ruban et déplia le tissu vert.

En effet, c'étaient bien ses lettres adressées à Miss Grace Ecclestone. Il prit le premier *inland* vert, l'ouvrit et parcourut des yeux les lignes pleines d'effusion par lesquelles il avait exprimé ses sentiments vingt ans plus tôt :

« Ma Gracie à moi... plus que trois jours et je serai de retour auprès de toi... peut-être même avant que cette lettre te parvienne... J'ai hâte de pouvoir t'appeler ma femme... de te ramener ici dans notre propre foyer... »

La suite était de la même eau, écrite dans une prose assez exaltée pour le faire rougir au souvenir du jeune homme qu'il avait été.

Il feuilleta la pile de lettres, souriant aux épisodes vécus qu'elles faisaient remonter à la surface. « Comment ai-je pu trouver le temps d'écrire tout ça pendant les dix jours de mon absence ? » se demandait-il en jaugeant l'épaisseur du paquet. Ah, l'amour à ses débuts ! Il se rappelait Grace le suppliant de ne pas le quitter, mais à cause de son nouveau patron à Barton Ferne, Mr Gidley, un Anglais revêche qui ne l'aimait pas, il avait jugé plus sage de retourner lui demander de vive voix un allongement de son congé. Une lettre n'aurait fait que provoquer l'ire de son supérieur.

Tout au plaisir de ce petit voyage dans le passé, il tira au hasard un autre *inland* de la pile et l'ouvrit sans se rendre compte qu'il n'était pas de son écriture. Il cligna des yeux et le lut avec avidité. Puis il passa au suivant et, successivement, aux cinq autres. À eux sept, ils lui racontaient une histoire qu'il ne connaissait pas, qu'il découvrait au fur et à mesure de sa lecture.

Ce n'était pas une belle histoire. L'auteur de ces lettres était un certain Philip Cunningham, de toute évidence amoureux de Grace et clairement aimé d'elle en retour. Les mots qui décrivaient l'intimité de leur relation ne laissaient planer aucun doute sur ses sentiments. « Comme tu me manques, ma chérie... la douceur de ta peau... ton corps contre le mien... sans toi, mon cœur est désert, mon lit est désert, ma vie est déserte... »

Avec une incrédulité croissante, Robert continua sa lecture :

« Quand je suis allé chez toi aujourd'hui pour te dire adieu et que ta mère m'a appris que tu ne voulais pas me voir, j'en ai eu le cœur brisé... Elle dit que tu vas en épouser un autre... Pourquoi me fais-tu ça, ma chérie ? Je pars demain pour l'Angleterre... Je te jure que je trouverai le moyen de convaincre ma mère... Elle finira par accepter qu'on se marie... Attends-moi, ma bien-aimée... »

La dernière lettre avait été envoyée depuis le paquebot en route pour l'Angleterre et contenait une photo, sans doute celle de Philip Cunningham. « Afin que tu te souviennes de moi... pour te rappeler notre amour... », avait-il écrit au verso.

Robert y jeta un regard puis ferma les yeux sous le choc, incapable de se réconcilier avec ce qu'il voyait. *Non !*
Se raidissant pour affronter le coup, il rouvrit les paupières et examina la photo. *Si !* C'était bien le visage de Shirley qui lui faisait face, les mêmes yeux légèrement tombants, les mêmes lèvres pleines, le même menton carré, les mêmes cheveux blonds.

Plissant les paupières, il rouvrit les sept lettres, examina soigneusement les dates, se livrant à une reconstitution méthodique des événements. C'était une histoire sordide à lui donner la nausée. Une rage blême lui crispait le cœur. La menteuse ! La putain ! La traînée ! L'avoir dupé aussi éhontément ! Lui avoir collé dans les bras un bâtard en lui faisant croire qu'il était le père ! Rien d'étonnant à ce qu'elle ait été si pressée de se marier ! Elle aurait épousé n'importe quel crétin, et c'est lui qui était tombé dans ses filets immondes.

Des larmes brûlantes d'amertume ruisselaient sur ses joues, mouillant les lettres et la photo. Il pleurait par saccades, pour lui-même, pour ce garçon naïf bercé d'illusions, pour les années d'amour qu'il avait prodiguées à Grace et à Shirley. Quel gâchis !

Il pressa ses paumes contre ses globes oculaires aussi fort qu'il le pouvait pour empêcher l'image de Grace de clignoter derrière ses paupières. Grace telle qu'il l'avait vue la première fois à la noce de Bangalore, timide et muette, dégageant une impression de vulnérabilité qui éveillait en lui le désir de la protéger ; Grace debout à côté de lui devant l'autel, soutenant son regard en répondant solennellement : « Je le veux » ; Grace après la naissance de Shirley – Shirley ! Son cœur se crispa d'angoisse, son visage fatigué lui souriant tandis qu'il tenait l'enfant dans ses bras et s'émerveillait de sa perfection.

À mesure que les images se pressaient dans sa tête, ses émotions inversaient leur cours et l'habitude qu'il avait d'aimer Grace réaffirmait sa puissance. Il ne pleurait plus seulement pour lui, mais pour elle, pour l'enfant effrayée qu'elle avait dû être en se retrouvant dans la situation la plus pénible qui soit pour une femme. Ah, évidemment, il avait été facile pour cet ignoble porc de Cunningham de lui dire de l'attendre ! Comment l'aurait-elle pu, avec un bébé qui grossissait dans son ventre ? Sa pauvre petite Gracie, comme elle avait été mise à mal par cette trahison ! Elle n'avait eu personne d'autre que lui vers qui se tourner. Elle lui avait confié, instinctivement, ses deux possessions les plus précieuses, son propre avenir et celui de son enfant à naître. Comme elle avait dû avoir peur !

Son cœur se contractait de douleur pour ce qu'elle avait vécu et tout son amour pour elle, si constant au fil des années depuis le jour où il avait posé les yeux sur elle, revint le submerger. Quel était son crime, à bien regarder ? La jeune fille paniquée avait placé sa confiance dans un homme qui n'en valait pas la peine, rien de plus. Elle avait refusé de revoir ce Cunningham après s'être promise à Robert, comme le prouvaient les lettres, et elle n'avait jamais regardé d'autre homme que son mari par la suite.

Robert fit défiler les années de son mariage dans sa tête pour se rappeler tous les hommes, parmi lesquels figuraient nombre de ses propres amis, qui avaient fait la cour à Grace en la flattant de leur badinage. Ils s'étaient tous sentis frustrés en voyant qu'elle se comportait comme si de rien n'était. Robert avait souvent noté qu'elle semblait parfaitement inconsciente de son pouvoir de séduction. Il sourit à cette pensée, confiant dans la certitude que Grace n'aimerait jamais personne d'autre que lui. Car elle l'aimait, il n'en avait pas l'ombre d'un doute. Comme il l'aimait, lui. Et comme il aimait Shirley, sa première-née, sa perle chérie. Elle était sa fille dans tous les sens importants du terme.

Il s'essuya le visage, se moucha et posa un regard de pitié dédaigneuse sur la photo de Philip Cunningham. Tu n'es qu'un sale porc, lui dit-il intérieurement, mais c'est moi qui en ai retiré l'avantage. Grâce à toi, j'ai la meilleure épouse qu'un homme puisse espérer et une fille merveilleuse. Tu ne sauras jamais ce que tu as manqué, espèce de salaud. Tu les as perdues toutes les deux parce que le meilleur a gagné, et le meilleur, c'était moi !

Quand Grace et les filles revinrent, elles trouvèrent Robert assis sur la véranda, feuilletant un vieux magazine. À leur entrée, les bras pleins de paquets, bavardant et riant, l'appartement presque désert sembla reprendre vie. Robert sentit son cœur déborder d'amour pour sa famille tandis qu'elles l'entouraient en lui montrant leurs acquisitions, parlant toutes les trois en même temps. Mes trois merveilles, pensa-t-il avec gratitude. Doux Jésus, garde-les de tout mal et fais qu'elles restent heureuses, amen.

– Allons, venez manger, dit-il en se levant. Je vous attendais pour déjeuner. Je meurs de faim !

Le paquet de lettres dormait de nouveau dans son emballage de soie verte, noué par le ruban rouge. Il avait retrouvé sa place au fond du coffret à bijoux de Grace d'où il n'aurait jamais dû jaillir tel un génie malfaisant. Le bracelet en or, celui qu'il avait cherché en soulevant le plateau de la boîte, brillait au poignet de Paddy.

43

Le Calcutta Club

ROBERT n'aurait jamais, au grand jamais, pu imaginer un mariage pareil. Il avait rêvé d'une église décorée de fleurs. Il s'était vu en costume à fines rayures, avançant fièrement dans l'allée, sa fille à son bras glissant comme sur un nuage en longue robe blanche et voile de dentelle, lentement, en une longue et solennelle marche vers le prêtre et le fiancé qui attendaient devant l'autel, aux accents jubilants de la marche nuptiale jouée à l'orgue.

Les fleurs étaient indéniablement au rendez-vous, il ne pouvait le nier. Les décorateurs du Calcutta Club avaient bien fait les choses. Le vaste salon que les membres étaient autorisés à louer pour leurs cérémonies d'ordre privé était un modèle d'élégance. Le sol était recouvert de tapis d'Ispahan (Victor lui avait appris à reconnaître et à nommer les tapis en vue du jour où il chercherait à vendre ses acquisitions en Angleterre), les sofas et les chaises en bois doré étaient tapissés d'un riche tissu. Des abat-jour de soie blanche adoucissaient les lumières et des arrangements floraux rencontraient le regard où qu'il se pose. On disait que l'épouse du secrétaire du club, d'un tempérament artistique, les avait composés elle-même.

C'était la première fois que les Ryan venaient dans cet endroit, qui était un peu le contrepoint du Bengal Club réservé aux Blancs. La présidence alternait chaque année entre un Anglais et un Indien. Leurs portraits – visages blancs, visages bruns – étaient accrochés au mur qui longeait l'imposant escalier, suivant l'oblique des marches.

En tout point aussi raffiné et peut-être encore plus élitiste que les autres clubs de première classe de Calcutta, celui-ci pouvait s'enorgueillir d'une liste d'attente interminable et d'une politique de rejet rigoureuse. Ses membres étaient des hommes éminents du gouvernement et du barreau. Seul l'accès au rez-de-chaussée était permis aux dames qui devaient, en outre, passer par l'entrée des livreurs dans la rue adjacente pour pénétrer dans ces lieux sacro-saints.

Il était six heures du soir. Seule une poignée d'amis et de proches étaient venus assister à la cérémonie. La centaine d'invités attendue arriverait plus tard, à six heures et demie, pour la réception. L'officier d'état civil, une femme d'un certain âge à l'air affable, vêtue d'un sari violet, était prête à s'acquitter des formalités. Robert rejoignit comme il se devait Grace et Shirley, debout derrière la mariée.

La mariée, sa fille, son petit gibbon, Paddikins. Il ne la reconnaissait pas dans cette étrangère éblouissante vêtue d'un sari en soie grège à bordure rouge et or. Un collier de vieil or serti de rubis et valant à coup sûr une fortune ruisselait somptueusement le long de sa gorge. Elle portait le bracelet, la bague et les pendants d'oreilles assortis. Des boucles pour lesquelles elle avait dû se faire percer les oreilles, alors que Robert avait toujours interdit à ses filles de suivre cette « coutume autochtone barbare ». La parure se transmettait de mère en fils dans la famille à la femme de l'héritier. Paddy était ravissante, il aurait fallu être aveugle pour ne pas s'en apercevoir. Un sentiment douloureux de perte lui serrait le cœur. Ce n'était pas seulement sa fille qu'il perdait, mais tout un mode de vie, *le sien*, qui s'effilochait, sur le point de disparaître. Il en aurait pleuré.

La cérémonie fut brève. L'officier d'état civil eut la délicatesse d'incorporer aux paroles prononcées les « Je le veux » de la messe de mariage chrétienne. Le marié et la mariée échangèrent des alliances assorties avant de signer le registre, Paddy utilisant son nouveau nom pour la première fois. Robert, debout à côté d'elle, la vit écrire, suivi d'un paraphe : Patricia Roberta Karambir Singh. Puis les deux témoins de chacun des mariés apposèrent à leur tour leur signature. Karam avait demandé à Ian d'être l'un des siens. La relation amicale qui s'était nouée entre son plus vieil ami et son nouveau gendre émerveillait Robert, en même temps qu'il en éprouvait un soupçon de jalousie.

C'était fini. Robert serra la main de Karam et enlaça Paddy d'un geste un peu raide, comme si elle menaçait de se briser. Paddy l'étreignit très fort en murmurant :

– Sois heureux de mon bonheur, Papa. C'est le plus beau jour de ma vie !

Il resserra ses bras autour d'elle et dit d'une voix étouffée :

– Je te souhaite tout le bonheur du monde, Paddikins, ma petite fille chérie. Karam est un jeune homme très bien et vous aurez une vie merveilleuse ensemble. Que Dieu vous bénisse tous les deux.

Il devait se faire violence pour la laisser partir.

Plus tard, pendant que la fête battait son plein et que le grand salon vibrait de l'éclat multicolore des saris et des robes de brocart et de soie, Robert devisa un instant avec l'oncle de Karam qui avait organisé la soirée, aidé de Savitri, sa femme. Pendant les préparatifs du mariage, Robert avait eu plusieurs fois l'occasion de rencontrer Mahendrabir Singh qu'il avait peu à peu appris à estimer, et il aimait sa conversation. « Mahi » (ainsi qu'il souhaitait qu'on l'appelle) était un homme de haute taille, portant beau, avec un sens aigu de l'humour. Il était manifestement conquis par Paddy.

– Alors, Bobby, la fête se déroule plutôt bien, n'est-ce pas ? Mon cher, ma nouvelle nièce est d'une beauté inoubliable, un véritable enchantement !

Robert détestait s'entendre appeler Bobby. Dans son enfance, il avait fait saigner plus d'un nez pour dissuader ses camarades d'école de s'adresser à lui par ce surnom haï, mais il s'était résigné à l'accepter de Mahi.

– Il est vraiment dommage que les parents de Karam n'aient pas pu venir ce soir, dit-il en se servant un whisky au plateau d'un domestique qui passait parmi les invités.

– Oui, répondit Mahi en buvant une gorgée à son verre, mais mon frère Dharambir est trop malade, le pauvre. C'est le résultat de toute une vie de dissipation ! Quant à ma charmante belle-sœur, elle sera obligée de s'y faire, tout comme – il adressa un clin d'œil complice à Robert à qui ne put échapper la résolution implacable du patriarche autocrate, en embuscade derrière le sourire – elle a été obligée de cracher les rubis de la famille. Ils appartiennent désormais à Paddy, et personne n'y peut plus rien. À propos, nous changeons son nom pour Padma.

– Quoi ? Qui ? demanda Robert, confus et pris de court par le virage que prenait brusquement la conversation. Qui est Padma ?

Mahi lui sourit, affable.

– Paddy, bien sûr. Réveillez-vous, Bobby ! On a proposé à Karam de rallier le parti du Congrès. Intelligent comme il est, il pourrait facilement finir Premier ministre du pays. Vous comprenez bien qu'il ne peut pas être marié à une Patricia. Imaginez un peu, poursuivit-il en pouffant, les paysans aux prises avec cette situation alors qu'elle cherche à les convaincre de voter pour lui ! On croit rêver, non ? C'est elle qui a choisi Padma parmi plusieurs options que ma femme lui a soumises. En plein dans le mille, je dois dire. C'est le nom du lotus, la fleur nationale, et nous souhaitons qu'elle s'épanouisse de la même façon.

Il donna une tape amicale à Robert sur l'épaule.

– Dans la famille, elle restera toujours Paddy, évidemment, conclut-il en le quittant, happé par un nouvel interlocuteur.

Paddy était au centre d'un groupe d'admirateurs, racontant Dieu sait quelle histoire qui faisait rire tout le monde. Elle fera une bonne épouse de politicien, se dit Robert. Il sentait sa fille s'éloigner à des années-lumière de lui. Croisant le regard de Shirley, il se dirigea vers elle.

– C'est formidable, Papa ! Quel mariage extraordinaire !

Elle le prit par le bras, sa robe de soie rose virevoltant autour d'elle.

Robert sourit et répondit mécaniquement à ses commentaires. Il se rappelait un maillot de bain du même rose qu'elle portait quand elle avait quatre ans, un jour qu'il l'avait emmenée à la piscine du D.I. pour lui apprendre à nager. Il se rappelait le contact du corps ferme de l'enfant contre ses bras tandis que, debout dans le petit bain, il tentait de la détacher de lui et de la déposer dans l'eau. Elle s'était alors agrippée farouchement à lui, les bras autour de son cou, les jambes enserrant sa taille, terrifiée.

– Ne me laisse pas tomber, Papa ! Ne me lâche pas dans l'eau !

Elle n'est pas ta fille ! raillait l'esprit maléfique qui avait fait son nid dans sa tête.

Bien sûr que si ! contrait Robert, bravache. *Ma fille, des pieds à la tête. Sous tous les aspects qui importent.*

– Tu disais, Papa ? demanda Shirley.

Heureuse, elle lui souriait de ses yeux bleus. *Les yeux bleus de Cunningham ?*

– Oui, répondit Robert en lui rendant son sourire, je disais « Shirl, ma perle, ma belle »...

– Oh, Papa, tu es incorrigible ! protesta Shirley en levant les yeux au ciel, mais elle n'avait pas perdu son sourire et lui serra le bras avec affection.

À ce moment, Karam vint les rejoindre :

– Ah, voici ma nouvelle merveille de sœur, dit-il en lui donnant un baiser léger sur la joue.

Magnanime dans le bonheur, il se tourna vers Robert.

– Merci, pour Paddy, monsieur. J'entends vraiment la rendre heureuse, je vous le jure ! Et j'ai promis de l'emmener vous voir chaque année en Angleterre. Ne croyez surtout pas que vous allez la perdre, Mum et vous.

Mum ! Karam avait pris l'habitude de donner à Grace ce petit nom depuis quelques semaines et Robert voyait que cela plaisait à l'intéressée. Lorsque, assise, elle demandait à son gendre de lui apporter un tabouret en rotin pour allonger ses jambes, c'était en l'appelant « mon fils », et Karam se hâtait d'obtempérer.

Lorsque Karam vit Grace et Irene s'avancer à leur rencontre, son visage s'illumina.

– Un verre de sherry, Mum ? Et pour vous, tante Irene ?

Il était l'incarnation de la courtoisie et de l'élégance.

Robert était follement content de constater que la veste noire à la Nehru que portait Karam avait été confectionnée dans le beau tissu italien qu'il lui avait offert. « Qu'il ne soit jamais dit que la famille de la mariée n'a rien donné », s'était-il juré quand la date de la cérémonie avait été fixée. Il avait emmené Karam chez Lee, le chausseur chinois de renom de Bentinck Street, pour lui faire fabriquer sur mesure deux paires de chaussures, une noire et une marron, puis il était parti de son côté acheter trois métrages du plus beau tissu pour costume et une montre Tissot en or, très élégante, horriblement chère, que Karam portait en ce moment. Et bien sûr, il avait contribué au nouveau foyer de Paddy en payant le mobilier – une chambre à coucher en teck, entre autres éléments –, les ustensiles de cuisine et tous les objets que Grace avait jugés indispensables.

Après le buffet du dîner, constitué d'une centaine de plats de styles occidental et indien, un gros gâteau à trois étages fut apporté, puis coupé en tranches selon la coutume par le marié et la mariée, sous les vivats et les applaudissements.

Puis le couple se retira dans sa suite nuptiale au Grand Hotel, louée une semaine plus tôt pour permettre à Ayah d'organiser l'appartement de Stephen Court avec l'aide d'Abdul, devenu en un clin d'œil son esclave consentant, et avec le départ des invités, qui par un, qui en couple, la réception prit fin.

Assises sur la luxueuse banquette arrière de la Mercedes avec chauffeur que Mahi avait mise à la disposition des Ryan jusqu'à leur départ de Calcutta (Robert avait laissé la Morris Oxford au garage de Gaspar pour qu'il la vende), Grace et Shirley s'entendaient pour qualifier le mariage de splendide, et pour dire que Paddy était « tout simplement divine » ! Interrogé sur la question, Robert, installé à l'avant près du chauffeur en livrée, en convint de bonne grâce.

44

Ronen

G OBINDO était inquiet. Il avait réglé l'angle du rétroviseur de façon à voir Ronen *babu* avachi sur la
banquette arrière et s'interrogeait sur les façons du monde
des *saab*. Ryan Saab était parti et Ronen *babu* était fermement établi à la place de directeur adjoint auprès de
Wilson Saab, comme tout le monde l'avait prédit, mais la
situation semblait ne lui procurer aucun plaisir.

Il ne s'asseyait plus à l'avant pour l'entretenir de tout
et de rien avec une pointe de sarcasme. Plus de cigarettes
offertes. Depuis un mois, il restait silencieux et morose
durant le trajet, sans même gratifier Gobindo d'un signe
de reconnaissance quand il bondissait pour lui ouvrir la
portière dans une inclinaison du buste à leur arrivée au
6, Ballygunge Circular Road. L'angoisse rongeait Gobindo,
qui se demandait s'il avait fait quelque chose qui l'eût
offensé.

Si tel était le cas, les répercussions pouvaient être graves.
Les emplois en or tel celui de chauffeur d'entreprise, qui
plus est d'une grande entreprise comme Barton Ferne,
ne poussaient pas sur les arbres et Gobindo, seul sou-
tien financier de ses deux vieux parents, ne pouvait pas

se permettre de le perdre. Il rassembla tout son courage pour parler.

– Ronen *babu*, commença-t-il, mais il ne sortit de sa bouche qu'un glapissement étranglé.

Il jeta un coup d'œil dans le rétroviseur, se racla la gorge et reprit :

– Ronen *babu*, à vous regarder, je me trompe peut-être, mais on dirait que vous n'êtes pas en forme. Voulez-vous que je m'arrête près d'une pharmacie pour vous acheter un médicament ? Contre la migraine, peut-être ? Ou les maux de ventre ? Ou...

Ronen le coupa sèchement :

– Te voilà médecin, maintenant ! Qui t'a demandé ton avis ? Tu es un chauffeur, compris ? Alors ferme-la et contente-toi de conduire.

Ses yeux croisèrent ceux de Gobindo dans la glace et Gobindo y lut une angoisse insondable.

Peut-être Ronen *babu* avait-il une maladie grave, incurable ? Avant qu'il puisse broder sur ce thème, Ronen reprit avec encore plus de colère dans la voix :

– Et tourne ce miroir de sorte que tu ne me voies plus, espèce d'imbécile. C'est la route derrière nous que tu devrais regarder, pas moi. Tu ne sais même pas ça et tu te crois chauffeur ! Tu ne serais même pas capable de conduire un char à bœufs, espèce de connard de fils de pute !

Gobindo reçut cette volée d'injures avec un choc. Il ajusta le rétroviseur, évitant de justesse de faucher un cycliste tant il était bouleversé. Les qualificatifs entendus n'étaient rien ; leur usage en lui-même ne dénotait pas forcément une intention blessante ; même ses amis avaient recours à ce langage entre eux, riant ou feignant la colère. En l'occurrence, cependant, ils s'ajoutaient à l'injustice de la situation. Ronen *babu* avait commencé par l'habituer à bavarder avec lui et à se moquer de Ryan Saab, et maintenant, il lui reprochait de le faire et se conduisait avec une arrogance encore plus grande que Ryan Saab n'en avait jamais manifesté à son égard.

« Tous des dégueulasses, se dit-il dans un accès de fureur, on ne peut pas faire confiance à ces foutus *saab*. Si ce fils de pute claque effectivement d'une maladie incurable, j'en serai bien content ! Je m'empiffrerai de *shondesh* à la douzaine le jour de sa mort. »

Et il se promit de mener une enquête discrète sur l'état de santé de Ronen, ainsi que sur les possibilités de se faire muter au service d'un autre *saab* de Barton Ferne.

Ronen ne s'apercevait pas de l'effet que ses paroles avaient provoqué et, l'eût-il remarqué, il y serait resté parfaitement indifférent. Il était immergé si profondément dans son propre malheur qu'il devait faire un effort presque surhumain pour se comporter avec un semblant de normalité à son travail. Ses collègues avaient bien noté qu'il était devenu morose et moins bavard, mais ils en attribuaient la cause à ses responsabilités accrues et approuvaient son sérieux. Chaque soir, c'était avec une impression de soulagement qu'il montait en voiture et s'absorbait dans ses pensées. Elles étaient sombres et hostiles.

Depuis le soir où il s'était déchaîné verbalement contre Rîla après avoir pris conscience de l'amour qu'il continuait de porter à Peggy, la vie avait changé du tout au tout à Ballygunge. Il éprouvait envers son père, le premier à l'avoir trahi, une haine inextinguible qui lui donnait la nausée. Chaque moment qu'il passait dans sa maison lui était une torture. Cependant, où aurait-il pu aller vivre ? Il n'avait pas d'argent à lui. À l'instar de tout bon fils de famille indien, il remettait le chèque de son salaire mensuel à son père qui le déposait sur un compte bancaire ouvert à leurs deux noms et il recevait en échange une petite somme de liquide pour ses dépenses personnelles.

S'il ouvrait un compte à son seul nom lui permettant de retirer de l'argent pour louer un appartement, il serait immédiatement congédié de Barton Ferne, il n'en avait pas le moindre doute. Il avait beau travailler dur et être apprécié de Peter Wilson, son emploi n'en tenait pas moins au fil capricieux des faveurs et des disgrâces. Il lui avait été obtenu par son beau-père qui avait le pouvoir de l'y maintenir ou de l'en déloger, ce qu'il n'hésiterait pas à faire. Comment pourrait-il alors rebondir ? Gâté, entouré de serviteurs depuis toujours, Ronen n'avait pas la moindre idée de la façon dont on faisait son creux dans le réseau touffu de liens et de contacts de la classe supérieure indienne.

Il était résolu à partir. Il avait déjà élaboré un plan pour emprunter l'argent qui lui permettrait d'aller en Angleterre où personne ne le connaissait, où il n'était pas estampillé fils de l'éminent avocat Mukherjî, héritier d'une famille aisée. Là-bas, il saurait se trouver un travail. Il serait capable de vivre sa propre vie. Il rencontrerait quelqu'un, une femme aimante comme Peggy, pour partager ses jours et ses nuits. Il ne serait plus jamais obligé de poser les yeux sur Rîla.

Celle-ci, rudement éveillée de son nombrilisme complaisant et effrayée pour la première fois de sa vie, avait désespérément tenté de réparer les pots cassés, oscillant entre plates excuses et crises de larmes hystériques. Comme

Ronen y restait indifférent, elle avait quitté la maison le cœur gros pour retourner chez son père, d'où elle envoyait chaque jour un émissaire, le chauffeur paternel, porteur d'une note de son écriture élégante demandant si elle devait revenir. Chaque jour, Ronen déchirait le papier en deux, puis il en remettait sans un mot les morceaux au chauffeur impassible qui prenait le chemin du retour.

Le silence de Ronen planait dans la maison comme une présence vivante. Il ne parlait à personne. Ni à Radha et Pingola, ni à sa mère qui, frappée tardivement par la gravité de la situation, se détachait de ses prières pour passer une heure entière debout sur le seuil de sa chambre tandis qu'il l'ignorait, étendu, un bras sur les yeux pour ne pas avoir à la regarder. Ni bien sûr à son père, qui l'avait déjà fait mander à trois reprises dans son bureau sans qu'il réponde à son appel.

Lorsque Gobindo ralentit devant le 6, Ballygunge Circular Road, la voiture du père de Rîla était garée comme d'habitude devant le portail, mais cette fois il y avait quelqu'un d'autre à l'avant, sur le siège du passager. Ronen reconnut Mangala, la *jhî* de Rîla, qui émergeait lentement du véhicule sur ses jambes arthritiques, paumes jointes dans le geste traditionnel de respect et de soumission.

Ses yeux cernés de rouge et pleins de larmes exprimaient la détresse. Ronen ordonna à Gobindo de partir, puis se tourna vers la vieille femme, le visage ostensiblement dur et fermé. Qu'elle dise ce qu'elle a à dire, pensait-il, je ne lui répondrai pas et elle comprendra qu'il n'est pas question que je reprenne Rîla.

Mangala, pathétique dans son sari de coton blanc élimé et ses tongs Bata en caoutchouc, se pencha pour lui tou-

cher les pieds. Horrifié, il fit un bond en arrière, s'exclamant dans un étonnement plus fort que sa résolution de silence :
– Que faites-vous, Mangala*ma* ! Vous êtes folle !
Sans l'écouter, la vieille domestique s'était agrippée aux revers des jambes de son pantalon et pleurait toutes les larmes de son corps. Elle lui raconta que Babli*di* l'avait accusée d'avoir causé, en se séparant du médaillon, la rupture entre elle et son mari. Que Babli*di* avait parlé à son père. Qu'il avait décidé de la renvoyer dans son village où, dit-elle, éplorée, il n'y avait plus personne de sa famille pour s'occuper d'elle, la nourrir et la loger.
– Que vais-je faire, Ronen *babu* ? Où vais-je aller ? Comment vais-je vivre ?
Elle ramassa une poignée de poussière aux pieds de Ronen et la fit tomber en pluie sur son crâne grisonnant où les cheveux se faisaient rares, dans un geste de servilité.
Ronen l'avait écoutée le cœur brisé. Il savait, lorsqu'il lui avait pris le médaillon, qu'il exploitait son innocence et sa confiance. À présent, chacune des questions qu'elle lui adressait perçait l'armure de son malheur et résonnait dans son âme comme l'écho railleur de sa situation, car il s'agissait des questions qui tournoyaient sans répit dans son propre cerveau et auxquelles il cherchait des réponses : Que vais-je faire ? Où vais-je aller ? Comment vais-je vivre ?
Il releva la vieille femme – légère comme une plume, mais raide et cassée – avec un regard de compassion, pensant : « Nous sommes pareils, elle et moi, nous partageons le même karma, mais j'ai plus de chance qu'elle. »
– Rassurez-vous, Mangala*ma*, je ne permettrai pas qu'on vous abandonne à votre sort, dit-il.

Elle leva sur lui un regard plein de reconnaissance tandis qu'il se cuirassait pour se donner le courage de prononcer les mots que son devoir lui imposait, ces mots qui étaient autant de clous fichés dans son cœur et qui confirmaient sa situation désormais sans issue. Il était piégé, pieds et poings liés. Plus question de partir en Angleterre, d'échapper à la maison paternelle honnie, à Rîla.

– Allez dire à votre Babli*di* qu'elle peut revenir demain. Son mari l'attend.

45

Le départ

L E PETIT GROUPE qu'ils formaient, debout sur le quai, paraissait soudain gauche et figé, à présent que tout ce qui leur venait à l'esprit avait déjà été dit. Ils coulaient des regards discrets à l'horloge géante de la gare comme s'ils avaient pu accélérer la marche de ses aiguilles ou la suspendre au contraire pour toujours. Ils auraient voulu avoir dépassé le moment affreux des adieux. Rien à faire, il restait dix minutes avant que s'ébranle le Bombay Mail. La ponctualité des chemins de fer hérités des Britanniques ne s'était pas dégradée avec leur départ.

Karam avait conduit Paddy et Ayah (portant à la main une guirlande d'œillets d'Inde enveloppée dans une feuille de bananier pour les garder frais) à la gare de Howrah, tandis que Grace et Shirley arrivaient avec Robert dans la Mercedes de Mahi. Apurru avait appelé un taxi pour charger les quatre grandes malles contenant les tapis, les châles en pashmina et autres articles dans lesquels Robert avait investi ses économies, et il avait fait le trajet assis à côté du chauffeur. Les voitures s'étaient déplacées en convoi afin d'atteindre la gare toutes les trois au même moment.

Karam, Apurru et Robert revenaient du wagon à bagages où ils étaient allés entreposer les malles. Robert n'avait plus à porter qu'un sac de voyage et le petit attaché-case qui contenait ses papiers. Il rangea soigneusement les reçus de ses malles entre les pages vierges de son nouveau passeport, ce précieux document grâce auquel il était libéré de sa prison indienne, reçu – enfin ! – quelques semaines plus tôt.

Comme il avait réservé un billet de première classe, Robert avait droit à un couchage complet, fourni sans supplément de prix. Après le dîner, un membre du personnel passait dans les compartiments de première pour transformer les banquettes en quatre couchettes pour la nuit. Il repassait le matin après le premier service de thé pour reprendre draps, couvertures et oreillers. Robert allait devoir passer deux nuits dans le train, l'arrivée à Bombay étant prévue le matin du troisième jour. Commencerait alors pour lui un voyage en mer de vingt-deux jours pour Liverpool, où Julius viendrait le chercher pour l'emmener à Londres.

L'aiguille des minutes sauta d'un cran avec un « tic » audible et un employé anglo-indien en uniforme, cheveux gris et visage rubicond, apparut près de la locomotive, tenant un drapeau vert encore enroulé dans la main.

Ayah poussa Apurru du coude en lui tendant la guirlande et celui-ci, se raclant la gorge, s'avança vers Robert.

– Adieu, Saab, dit-il en se dressant sur la pointe des pieds, et Robert s'inclina afin qu'il puisse lui passer au cou le collier de fleurs odoriférantes. Puisse Allah vous accompagner dans votre traversée dangereuse et vous protéger de tout mal.

Puis il recula pour laisser Ayah, mains jointes, souhaiter au Saab un bon voyage.

Robert se racla la gorge à son tour, les remercia pour leurs vœux et pour toute une vie de bons et loyaux services. Il les avait déjà dotés de coquettes primes et s'était arrangé avec Victor pour que celui-ci leur remette le montant obtenu de la vente du mobilier restant de Sharif Lane, le jour venu. Ses yeux le piquaient en leur disant adieu.

Puis Karam lui donna une poignée de main chaleureuse et pleine de vigueur. Robert l'avait souvent vu embrasser l'homme qu'il avait commencé à appeler « oncle Ian », mais il était trop tard pour rompre la digue de formalité à laquelle il s'était habitué avec son gendre.

– Bonne chance, monsieur, et à bientôt. Ne vous inquiétez pas, je suis là. Je m'assurerai que Mum prenne son train pour Bangalore demain et je vous promets d'amener Paddy en Angleterre chaque été.

Le départ était proche. Shirley et Paddy se jetèrent au cou de Robert, tentant vaillamment de plaisanter. Ils avaient tous trois les larmes aux yeux.

Paddy étreignit sauvagement son père, écrasant de sa joue les œillets d'Inde contre sa poitrine, et les fleurs libérèrent un effluve pénétrant que les Ryan devaient associer à jamais à la tristesse des adieux.

– Je t'aime, Daddy. Je t'écrirai chaque semaine, chaque dimanche. Et on se reverra l'été prochain. C'est certain !

Shirley dit alors d'une voix étranglée :

– J'aurais aimé que tu ne partes pas, Papa ! Je ferai des économies pour aller en Angleterre avec Paddy. N'oublie pas ta perle de fille !

Les larmes ruisselaient à présent le long de ses joues. Ayah la serra dans ses bras pour la réconforter.

Le chef de gare leva le drapeau, prêt à l'abattre à tout moment. Déjà la locomotive sifflait comme un serpent malfaisant.

Robert plongea ses yeux dans ceux de Grace en étreignant très fort ses mains dans les siennes. Il aurait voulu la serrer contre lui jusqu'à la fusion de leurs os, de leurs cœurs, de leurs âmes, pour qu'ils ne fassent plus jamais qu'un et que jamais, jamais elle ne le quitte. Un seul mot sortit de sa gorge, tandis que son regard intense buvait aux lacs de jade limpide qu'il aimait plus que tout au monde :

– Bientôt ?

– Très bientôt, répondit Grace, fondant en larmes.

Elle se jeta dans ses bras, mais déjà le drapeau s'abattait, le chef de gare sifflait, la locomotive s'ébranlait et Robert dut la lâcher, laissant son cœur derrière lui tandis qu'il sautait sur le marchepied du wagon.

Déjà le train prenait de la vitesse, quittait Howrah à souffles saccadés dans des panaches de fumée, quittait Calcutta, le seul univers qu'il connaissait, la vie qui avait été la sienne. Il regarda par la vitre à travers ses larmes le petit groupe soudé qui s'amenuisait dans le lointain. Les mouchoirs agités, qui n'étaient plus que de minuscules ailes blanches, disparurent bientôt à sa vue. Il ôta la guirlande de son cou, respira longuement les fleurs, inhalant leur parfum. « Je suppose qu'ils n'ont pas d'œillets d'Inde, en Angleterre », se dit-il, et brusquement une peur glacée s'empara de lui.

« Mon Dieu, qu'est-ce que j'ai fait ! Comment ai-je pu laisser mon foyer, ma famille, tout ce qui m'est précieux dans ce monde ? Tout ça pour un endroit dont je ne sais rien ! »

La panique l'envahissait. « Rien ne va plus, je descendrai à Burdwan et je monterai dans le premier train pour Calcutta. Je ne peux pas continuer, merde, c'est impossible ! »

Mais où aurait-il pu aller ? Descendre du train, oui, mais pour quelle destination ? Il avait rendu son appartement, démissionné de son travail, vendu sa voiture, perdu ses entrées au D.I., laissé se disperser sa famille. La vie qu'il avait si soigneusement édifiée au cours des vingt dernières années n'existait plus, tout retour était donc impossible, la porte s'était refermée derrière lui. *Clac !*

Le train accélérait et son rythme insistant s'imprimait au fer dans son cerveau. *Clic-é-té-clac, clic-é-té-clac, té-clic-é-té-clac,* répétait-il railleusement *ad nauseam.*

Robert Ryan prit alors la mesure de la réalité irréversible et glaçante qui lui sautait aux yeux. Il n'y avait plus au monde qu'un seul endroit où il pouvait aller : l'Angleterre.

Son pays ?

INDRA SINHA
Cette nuit-là
Traduit de l'anglais par Dominique Vitalyos

LAKAMBINI SITOY
Les Filles de Sweethaven
Traduit de l'anglais par Nathalie Cunnington

MANIL SURI
Mother India
Traduit de l'anglais par Dominique Vitalyos
Bollywood Apocalypse
Traduit de l'anglais par Dominique Vitalyos

ROMA TEARNE
Retour à Brixton Beach
Traduit de l'anglais par Dominique Vitalyos
Le Nageur
Traduit de l'anglais par Esther Ménévis

TARUN TEJPAL
La Vallée des masques
Traduit de l'anglais par Dominique Vitalyos

MANJUSHREE THAPA
Les Saisons de l'envol
Traduit de l'anglais par Esther Ménévis

DUBRAVKA UGRESIC
Il n'y a personne pour vous répondre
Traduit de l'anglais par Janine Matillon

ZHU WEN
I love Dollars
Traduit de l'anglais par Catherine Charmant

Composition Nord Compo
Impression CPI Bussière en mai 2015
Éditions Albin Michel
22, rue Huyghens, 75014 Paris
www.albin-michel.fr

ISBN : 978-2-226-31722-3
N° d'édition : 20951/01 – N° d'impression : 2014839
Dépôt légal : juin 2015
Imprimé en France